D1178149

Zu diesem Buch

Tucholskys «Pyrenäenbuch» liegt hier zum erstenmal als Taschenbuch vor. Es ist kein harmlos unverbindlicher Reiseführer, sondern ein Gegenstück zu den «Reisebildern» Heines und der «Empfindsamen Reise» Laurence Sternes. Der liebenswürdige und zugleich satirische Autor entdeckt eine Landschaft mit ihren Menschen für uns, er schildert Stierkämpfe und Klöster, Lourdes und Andorra, Hotelgäste und Bauern. Mit einem aus Güte kommenden Humor, aber auch mit Ingrimm nimmt er Stellung, wenn es um menschliche Zustände oder Mißstände geht, und damit läßt er uns teilnehmen an einer «Reise durch sich selbst».

Der am 9. Januar 1890 in Berlin geborene Kurt Tucholsky war einer der bedeutendsten deutschen Satiriker und Gesellschaftskritiker im ersten Drittel unseres Jahrhunderts. Nach dem Absturz Deutschlands in die Barbarei, vor der er unermüdlich prophetisch gewarnt hatte, schied er in Trauer und Bitterkeit am 21. Dezember 1935 in Hindås / Schweden aus dem Leben. Sein Grab liegt an dem von ihm selbst bestimmten Platz unter einer Eiche auf dem Friedhof Mariefred-Gripsholm, um das er eine seiner schönsten Geschichten, «Schloß Gripsholm» (als Rowohlt-Nachttisch-Büchlein und als rororo Nr. 4 lieferbar), schrieb.

Unter den Pseudonymen Peter Panter, Theobald Tiger, Ignaz Wrobel und Kaspar Hauser war Kurt Tucholsky fünffacher Mitarbeiter der «Schaubühne» und späteren «Weltbühne», einer Wochenschrift, die er gemeinsam mit Siegfried Jacobsohn und nach dessen Tod mit dem späteren Friedens-Nobelpreisträger und Opfer des nationalsozialistischen Terrors Carl von Ossietzky zu einem der aggressivsten und wirksamsten publizistischen Instrumente der Weimarer Republik machte. Von Kurt Tucholsky liegen vor: «Gesammelte Werke» (3 Bände und in einer zehnbändigen Taschenbuchausgabe), «Ausgewählte Werke» (2 Bände), «Wenn die Igel in der Abendstunde» (rororo Nr. 5658), «Rheinsberg» (Rowohlt-Nachttisch-Büchlein und rororo Nr. 261), «Briefe an eine Katholikin 1929–1931», «Briefe aus dem Schweigen 1932–1935» (rororo Nr. 5410), «Die Q-Tagebücher 1934 bis 1935» (rororo Nr. 5604), «Gedichte», «Das Kurt Tucholsky-Chanson-Buch», «Unser ungelebtes Leben. Briefe an Mary», «Wo kommen die Löcher im Käse her?», «Zwischen Gestern und Morgen» (rororo Nr. 50), «Panter, Tiger & Co.» (rororo Nr. 131), «Politische Briefe» (rororo Nr. 1183), «Politische Justiz» (rororo Nr. 1336), «Politische Texte» (rororo Nr. 1444), «Schnipsel» (rororo Nr. 1669) und «Deutschland, Deutschland über alles» (rororo Nr. 4611).

In der Reihe «rowohlts monographien» erschien als Band 31 eine Darstellung Kurt Tucholskys mit Selbstzeugnissen und Bilddokumenten von Klaus Peter Schulz, die eine ausführliche Bibliographie enthält.

Kurt Tucholsky

Ein Pyrenäenbuch

Rowohlt

218.–225. Tausend Februar 1986

Veröffentlicht im Rowohlt Taschenbuch Verlag GmbH,
Reinbek bei Hamburg, April 1962
Copyright © 1957 by Rowohlt Verlag GmbH, Hamburg
Veröffentlicht mit freundlicher Genehmigung von
Frau Mary Gerold-Tucholsky, Rottach-Egern
Umschlagentwurf Klaus Detjen
Gesetzt aus der Linotype-Aldus-Buchschrift
und der Palatino (D. Stempel AG)
Gesamtherstellung Clausen & Bosse, Leck
Printed in Germany
580-ISBN 3 499 10474 1

«— Shanghai? La ville la plus riche du monde. Le Cercle français? Le plus beau ... Leur bar? Le plus grand ... Leurs hôtels? Les plus confortables ... Leurs banques? Les plus puissantes ...»

«Savez-vous ce qu'on attend du voyageur? Qu'il mente. Le mensonge, c'est le cachet d'authenticité. Vous voyez-vous racontant à votre retour que le ciel des tropiques est gris? Jamais de la vie! Il est admis qu'on doit le voir bleu, bleu comme la Côte d'Azur, bleu comme une boule de blanchisseuse, et tout ce que vous écrirez là-dessus n'y changera rien. Croyez-vous qu'on vous prendra au sérieux si vous prétendez qu'il a au Japon plus de morts par les accidents de tramways que par le harakiri? Pas du tout ... La tâche du voyageur n'est pas de détruire des légendes, c'est d'en créer. Il faudra que vos Hindous soient majestueux, vos Chinois impénétrables, vos nègres lubriques, vos Nippons courtois. Ça n'est pas vrai! Tant pis! La réalité, c'est la monnaie de ceux qui ne savent pas mentir.»

Roland Dorgelès: ‹Partir›

Und Inger war freundlich und gutherzig. Sie erzählte von der Domkirche in Drontheim und begann: «Ihr habt wohl die Domkirche in Drontheim nicht gesehen? Nein, ihr seid ja nicht in Drontheim gewesen!»

Diese Domkirche war gleichsam Ingers eigene Domäne, sie verteidigte sie, sie prahlte mit ihr, gab Höhe und Breite an, sie sei wie ein Märchen!

Knut Hamsun: ‹Segen der Erde›

Geographie hatten wir beim roten Gierke. Der Mann war ein Lehr-beamter mit vielen kleinen Äderchen im Gesicht, die ihm ein kup-ferrotes Aussehen gaben; wegen seines Spitznamens hatte er sich anstandshalber einen roten Bart umgebunden. Er mochte uns nicht, und wir mochten ihn nicht. Er galt für falsch und rachsüchtig, Ur-teile von Schulklassen sind immer richtig — es wird schon ge-stimmt haben.

«Hast du Geographie gemacht?» — «Ich habe keine Ahnung!» — Woher sollte ich auch eine Ahnung haben? Das kümmerliche Geographiebuch verzeichnete ein paar Namen und stotterte in hol-prigem Deutsch etwas von «Bodenbeschaffenheit» und «Sardinen-handel», der Rote hatte dazu mit einem Rohrstock an der Karte entlanggestrichen, und die Klasse hatte korrekt geschlafen.

«Wir kommen nunmehr zu den Pyrenäen», sagte der Rote. Ich weiß nicht, ob er heute auch noch dazu kommt — aber bis auf das schöne Wort «Maladetta», was kein Fluch, sondern ein Berg ist, habe ich nichts behalten. Es ist alles wie ausgelöscht. Das gute Schulgeld —! Die schöne verlorne Zeit —!

«Pyrenäen» — das war so eine rostbraune Sache auf der sonst grünen und schwarzen Karte, darin ein paar Bergkleckse standen, rechts und links gefiel sich die Karte in Blau, das war das Meer... Ja, und sie trennten Spanien und Frankreich. Auch mußte man je-desmal ein kleines bißchen nachdenken, bevor man den Namen schrieb.

Dies waren die wissenschaftlichen Kenntnisse, die mir die deut-sche Schule in Bezug auf die Pyrenäen mitgegeben hatte.

Aber der Rote lehrte nicht nur Geographie, sondern auch Geschich-te, und da ging es wesentlich muntrer her. Es war eine Mordsge-schichte, in der es nichts wie Schlachten, Fürsten und Staaten gab. Was ein Staat war, hatte er uns nie erklärt, aber das Leben holte das rasch ein. Wenn man zum Beispiel in die Pyrenäen fahren will, braucht man einen Paß.

Viele europäische Staaten fordern zur Zeit noch Eintrittsgeld, und das kann ihnen niemand verdenken. Autorität übt man am besten dem Schwachen gegenüber aus — dem, der keinen Fußtritt zurückgibt, wenn der armselige verschuldete Popanz mit dem Wappen fuchtelt. Bauern, die für ihren ganzen Besitz so viel Steuern bezahlen wie ein Schreibmaschinenfräulein, Aktiengesellschaften, die, wenn es ans Zahlen geht, nur mit ihrer französischen Bezeichnung «Sociétés Anonymes» auftreten ... bei denen gehts nicht. Das arme Luder von Staat muß sich doch ein Mal, ein einziges Mal fühlen! Der Ausländer ist eine schöne Gelegenheit.

Über die Kuppen und Grate der Pyrenäen hinweg läuft eine kleine gekreuzelte Linie, die Grenze. Der Fall lag wunderschön kompliziert; ich wohne in Paris, und es waren drei Mächte zu bemühen: Deutschland, Frankreich und Spanien. Ich bemühte sie.

Es kostete vier Arbeitstage sowie zweihundertachtunddreißig Francs. Die Sache spielte sich in Liebe und Freundschaft ab: niemand benahm sich irrsinniger, als seine Vorschrift ihm das vorschrieb, es wurden weder Kniebeugen noch Freiübungen verlangt, auch vom Einzelvorbeimarsch wurde allgemein abgesehen. Regiert wurde ich bei den Deutschen von einem sehr wohlschmeckenden, großen Mädchen, bei den Franzosen von einem höflichen, staubigen Mann, bei den Spaniern von einem Botschaftssekretär und zwei dunkelgetönten Konsularbeamten. Jeder stempelte, trug in Bücher ein, schrieb und fertigte aus, ließ von unbekannten Mächten, die hinter geschlossenen Türen thronten, unterschreiben ...

Das Ministerium des Innern ordnet an, das Ministerium des Äußern mischt sich ein, die Grenzüberwachung weiß von allen beiden nichts und macht ihre Dummheiten selbständig.

So, genau so war einst die Herrschaft der Kirche.

Ein Mann ohne Beichtzettel war ein verlorner Mann, ein ausgestoßner Mann, eine unmögliche Erscheinung, ein Auswurf. Der Geist war von Jugend an in das Eisenkorsett des Glaubens eingezwängt, so daß er gar nicht anders denken konnte. «Hat er den richtigen Glauben?» Allenfalls verstand man noch, daß er den falschen hatte — aber gar keinen? Davor bekreuzigte der Gläubige erst sich und verbrannte dann den andern.

Und die Hexenrichter waren keine schwarzen schleichenden Schufte, wie der aufgeklärte Liberalismus sie so oft abgebildet hat — es waren anständige, reputierliche Leute, mit einem ordentlichen Studium hinter sich, einem festen Pflichtenkreis um sich, einer geachteten Laufbahn vor sich ... Trommelten die Trommeln, brodelte das Volk auf den großen Plätzen, surrten die Gebete der Mönche um die Verurteilten? Sie sahen das mit ruhigen Augen an. Die Feuer brannten, die Schreie stiegen zum Himmel auf, wie hätte das anders sein können? Das mußte so sein.

Es mußte so sein, weil das mittelalterliche Europa an einer Sache hing, die es von Natur aus nicht gab, sondern die sich der Mensch erst gemacht hatte: an der Kirche. Wer hing am Kreuz? Der Gläubige selbst: röchelnd, mit herausgequollnen Augen, in seiner Bewegung gehemmt, an die Hölzer gebunden, glücklich, gestützt und nicht allein — so hing er da.

Und steht heute auf, sieht das Kreuz mit langem Blick an, schüttelt sich und geht...?

Er ist von einem Kreuz zu einem andern gelaufen.

Er stiert auf die Fahnen wie ein Huhn, das man mit der Nase vor den Kreidestrich hält, unbeweglichen Auges, er sieht nur das. Hat er die richtige Staatsangehörigkeit? Allenfalls versteht man noch, daß er die falsche hat — aber gar keine? Davor schrickt der Polizeimann zurück und jagt den andern davon.

Und sie sind stolz auf ihren Beichtzettel!

Von den Reichen beachtet und benutzt, von den Angestellten als Krippe geliebt, tausendmal verkauft an die wahren Gewalten der Erde, deren Grenzen ganz, ganz anders laufen, als es die Geographiebücher angeben, machtlos, wo wahre Macht ihm gegenübersteht: so bläst sich der Staat auf und hat das scheußlichste getan, das es gibt, er hat dem praktischen Zweck eine sittliche Idee angekleistert.

Heimlich zugebend, daß die Bergpredigt für ihn nicht gelte, daß die vom Individuum geforderte Moral für ihn nicht gelte, daß die einfachsten altruistischen Gebote für ihn nicht gelten, will er Gott verdrängen und sich an seine Stelle setzen. Und glückt das nicht, so stellt er sich hinter das noch aufrechte Kruzifix, und der Betende ahnt nicht, vor wem er kniet. Drücke die Schwachen — aber schwenke die Fahnen! Bestrafe die Kranken — aber liebe den Präsidentensitz! Schände die Heimat — aber achte den Staat! Und keiner, keiner ist ohne Beichtzettel.

Gibt es denn nicht wenigstens ein paar Tausend in Europa, die unberührt davon bleiben, wenn sich die Unteroffiziere ihrer Länder in die fettigen Haare geraten? Muß uns das berühren, daß die Stahlindustrie des einen Landes die Kohlen des andern braucht? Daß man dafür Kriegslieder geheult, Menschen geblendet, Tiere zerrissen, Häuser zerknallt, Gebete gebetet, bekannte Soldaten geprügelt und unbekannte Soldaten beerdigt, Generale sauber rasiert und Arbeiter mit Artillerie beschossen hat — muß uns der Fibelvorwand rühren? Geht uns der fingierte Grund etwas an? «Über die Köpfe hinweg, Bruder, reich mir die Hand —!» Ich will keinen Beichtzettel haben, ich will nicht zur Beichte gehen, ich will nicht.

François, Gaston, René — ich liebe euch, nicht obgleich ihr Franzosen seid; ich liebe euch, nicht weil ihr Franzosen seid — ich liebe euch, weil ihr François, Gaston, René seid. Mich interessiert es nicht, zu wissen, an wen ihr eure Steuern zahlt, wer bei euch an den Denkmälern die Reden im Gehrock hält, wer an euern Straßenecken den Verkehr behindert...

Die Feuerwehr ist ein nützliches Instrument im Leben der Gesellschaft. Ich bete nicht zur Feuerwehr.

Und da habe ich nun meinen Paß, den Beichtzettel.

Ich sehe die blauen und roten Stempel an, blättere voller Bewunderung in unlesbaren Unterschriften und vielsprachigen Tintenklecksen, falte fromm die Hände... Dann stecke ich den Paß in die hintere Gesäßtasche und begebe mich auf die Reise in die Pyrenäen.

STIERKAMPF IN BAYONNE

Auf den weiten Feldern der Ganaderia, der Zucht, schweift er: der König der Herde. Er weiß nicht, daß er sechstausend Francs kostet — aber daß er der unumschränkte Kaiser ist, der Alleinherrscher über die Jüngern und über alle Kühe — das weiß er. Er sieht keinen Menschen. Er läuft, wenn ihn die Lust ankommt, durch das saftige Gras, über kurzgebrannte Stoppeln, er wälzt sich in duftigem Heu, grast, äugt... So vergehen die Jugendjahre — fern in einer Stadt lebt schon der, der ihn einst töten wird. Er zieht die herbe Luft ein, die von den Bergen herunterweht, und brüllt.

Eines Tages kommen sie auf Pferden und mit dressierten Ochsen, den verschnittnen, dumpfen Ex-Stieren. Die wilde Herde wird getrieben, er wird abgesondert, er läuft mit den Städtern mit... Und findet sich in einem Waggon wieder, in einem dunkeln, rollenden Stall. Von der Bahnrampe aus trottet die Herde, sorgfältig vor Neckereien beschützt, zu einem runden, hohen Haus. Vierundzwanzig Stunden steht er allein im Verschlag, gereizt, unruhig. Nachmittags um vier Uhr vierzig öffnet sich die Tür, die grelle Sonne scheint herein, er stürzt heraus... Und steht in der Arena.

Während sie ihn geholt hatten, war ich über Bordeaux gerollt, wo ich zum ersten- und letztenmal auf dieser Reise, im Chapeau Rouge, ein ernsthaftes Abendessen zelebrierte, mit einem Rotwein, weich wie Samt; fort von Bordeaux, über die große Garonnebrücke hinweg — nach Bayonne. Sonntag? Sonntag ist Stierkampf.

In Paris hatten sie sich im vergangenen Jahr sehr groß getan: es bestände ein Gesetz, wonach in Frankreich der Stierkampf mit

Pferden und Tötung des Stiers verboten wäre — und wenn die Leute aus der Provence oder sonstwoher im pariser Buffalo Stierkämpfe vorführen wollten, so dürften sie das keineswegs in der blutigen Ausgabe tun. Das taten sie auch nicht. Sie begnügten sich mit den provenzalischen Stierspielen — da bleibt der Stier am Leben. Bayonne aber liegt so nahe an der spanischen Grenze, daß die bunte Farbe, womit auf den Atlanten Spanien angemalt ist, abgefärbt zu haben scheint; es sind auch so viel Fremde da, vorzüglich Spanier ... In Lille, wo niemand den Wunsch danach verspürt, darf man nicht stierkämpfen, in Paris auch nicht. In Bayonne darf man.

Die hohe runde Arena liegt im Nordosten, etwas außerhalb der Stadt — ich war noch gar nicht recht zur Besinnung gekommen, wo ich denn eigentlich wäre, Fluß und Brücke (die Adour) lagen schon hinter mir, da war schon die ganze Stadt auf den Beinen und rollte, lief, spazierte, hupte und kutschierte zur Arena. Die Sonne schien nicht, der Himmel war gefleckt blau und grau, die gesteckt volle Straße roch nach Staub und Blut.

Haben die Römer in ihren Arenen auf Steinstufen gesessen? Auch sie werden sich weiche Unterlagen mitgebracht haben — man kann Kissen mieten. Alle Welt klettert mit den kleinen Kissen über die Stufen, nimmt Platz, winkt, ruft, lacht ... Eine schauerliche ‹banda›, die vorher rotbemützt die Stadt durchblasen hat, trompetet sich die Seele aus dem Hals. Stille. Tusch! Der ‹Präsident› hat seine Loge betreten.

Jeder Stierkampf geht unter dem ‹Präsidium› irgendeines Mächtigen vor sich — in Madrid ist es der König mit der Unterlippe, in den großen spanischen Provinzstädten der Präfekt, in den kleinen der Bürgermeister oder irgend ein uniformiertes Stückchen General — ihm und seiner Familie weihen die Kämpfer den Stier und das Spiel, die Geschicklichkeit und den Tod.

Der Herr Marquis ist mit seinen Damen aus Biarritz im Auto herübergekommen, nun tritt er an die Brüstung seiner Loge, die im Rang liegt, nimmt mit einer steifen Armbewegung den grauen Zylinder ab und begrüßt das Volk. Aber es ist ganz ausgeschlossen, daß der Filmregisseur Ernst Lubitsch diesen Mann auch nur dreißig Meter lang einen Grafen spielen ließe — er würde ihm vielleicht das Stativ zu tragen geben, aber als Komparse: nichts zu machen. Es ist so viel kleine Provinzeitelkeit auf diesem zerlederten Gesicht, der Ritter ist von seinem Schloß heruntergestiegen und begrüßt die lieben Leibeignen ... Die Leibeignen vollführen einen großen Lärm und schwenken mäßig begeistert die Hüte. Der Graf aus Spanisch-Bautzen setzt sich. Es darf anfangen.

Die Truppe hält ihren Einzug. Es ist etwas kümmerlich damit, gar so viel sinds nicht, und sehr blitzend sieht das alles nicht aus. Die ersten Kämpfer, deren einer vorhin in einem großen Landauer angerollt kam, in der vollen Pracht seiner Ausrüstung, mit dem runden aufgerollten Zöpfchen am Hinterkopf, sie knien vor der Präsidentenloge nieder, der Zylinder erhebt sich mit dem Marquis, die unten murmeln die herkömmliche Formel. Die Besetzung in der Arena und oben auf den Bänken: es ist nicht Madrid, das uns hier umfängt; die Kämpfe gehen zwar streng formell wie in Spanien vor sich — aber das Ganze ist doch Provinz.

Los.

Der erste Stier von den sechsen kommt aus dem Stall gebraust. Da steht er. Musik, Licht nach dem Dunkel der Haft und so viel Menschen — was soll das? Das wird sich gleich erweisen.

‹Juego do Capa›. Die flinken Männer mit den roten Mänteln laufen vor der pathetischen Kuh auf und ab, sie schwenken die Tücher, hüpfen beiseite... Alles, was mit Vollkommenheit gemacht wird, sieht leicht aus. Das ist gar nichts, denkt man, und denkt falsch. Auf Alpenwegen bringen diese schweren, kräftigen, großen Tiere dem Spaziergänger das volle Bewußtsein dessen bei, was eigentlich ein Stier ist... Die da necken ihn wie ein Hündchen. Da kommen die ersten Pferde.

Es sind alte Kracken, gut für den Abdecker, abgearbeitete Kreaturen, die ihr ganzes Leben lang geackert, gezogen und getragen haben. Jede Arbeit ist ihres Lohnes wert: ihre offenbar dieses Lohnes. Ein Auge hat man ihnen mit einem Tuch zugebunden, was ihnen ein sonderbar verkommenes, verludertes Aussehen gibt. Sie lassen an Pferde von Strauchdieben denken, an Landschenken im Dreißigjährigen Kriege... Mit dem zugebundnen Auge der Innenseite des Kreises zugewendet, werden sie in die Arena geritten. Auf ihnen sitzen die Picadores.

Aber ich habe immer geglaubt, der Picador sei ein Mann, der, beritten, mit dem Stier kämpfte, ein Kampf, der dann manchmal für das Pferd ein böses Ende nähme... Der Picador ist ein Schlächter.

Niemand kann mit einem ausgewachsenen Stier kämpfen, wenn der nicht vorher zwei, drei Pferde erledigt hat, und nimmt er sie nicht an, so ist das für den Toreador eine böse Belastungsprobe. Das, was der Stier mit den Pferden macht, ist eine große körperliche Anstrengung für ihn, er arbeitet sich mit dem besten Teil seiner Kraft erst einmal an diesen Opfern ab... Ein Mann in roter Bluse führt das erste Pferd am Zügel. Es schnaubt.

Der Stier sieht das Pferd an. Der Picador riskiert eine mutige

Geste mit seiner Lanze. Der Stier nähert sich; der Rotblusige hält das Pferd noch immer fest, wendet die Breitseite dem Stier zu, damit der es recht bequem hat. Der Stier nimmt dankend an. Er geht mit leichtem Anlauf an das Pferd heran, kracht mit ihm zusammen und bohrt das rechte Horn in den magern Leib. Er senkt den Kopf tiefer, er wühlt darin herum, das Ganze sieht aus, als erfülle er ohne alle Leidenschaft eine unumgängliche Formalität. Das Pferd trappelt, so gut es kann, auf den freien Hufen, zwei schweben in der Luft. Dann zieht der Stier das Horn heraus.

Das Pferd ist unten offen. Einige Därme und etwas Schleim hängen aus ihm heraus, es möchte sich hinlegen. Nichts. Der Picador ist abgestiegen, macht die Steigbügel zurecht und steigt auf den Fetzen Pferd zum zweitenmal. Der Stier soll noch einmal stoßen. Der Stier stößt noch einmal.

Nun baumelt dem Pferd ein graurosa Beutel zwischen den Beinen, einmal verfängt es sich in dem Geschlinge und tritt hinein. Der Picador ist abgestiegen... Und nun läuft doch wahrhaftig dieses gute, alte Tier — immer ohne einen Laut — durch die ganze Arena, es möchte hinaus, dahin, woher es gekommen ist, in den Stall, fort von hier... Man läßt es hinaus. Und alles wendet sich wieder dem Stier zu.

Ich sehe mich um.

Ich kenne das, was in den Augen mancher Beschauer und Beschauerinnen liegt, wenn Schmeling dumpf auf Samson-Körner boxt. Kein Sport ist vor Mißbrauch sicher. Hier ist nichts davon. Ich versäume die schönsten Kunststücke der Mantelleute, die mit dem Stier einen großen Fandango tanzen: aber in keinem Gesicht, in keinem Auge, in keiner Miene ist auch nur der geringste Blutrausch zu sehen. Sind diese Leute grausam?

So spricht der Weise:

«Ein anderer Grundfehler des Christentums ist, daß es widernatürlicherweise den Menschen losgerissen hat von der Thierwelt, welcher er doch wesentlich angehört, und ihn nun ganz allein gelten lassen will, die Thiere geradezu als Sachen betrachtend... Die bedeutende Rolle, welche im Brahmanismus und Buddhismus durchweg die Thiere spielen, verglichen mit der totalen Nullität derselben im Juden-Christentum, bricht, in Hinsicht auf Vollkommenheit, diesem letzteren den Stab; so sehr man auch an solche Absurdität in Europa gewöhnt sein mag.» Und:

«Man sehe die himmelschreiende Ruchlosigkeit, mit welcher unser christlicher Pöbel gegen die Thiere verfährt, sie völlig zwecklos und lachend tötet oder verstümmelt oder martert, und selbst die von ihnen, welche unmittelbar seine Ernährer sind, seine Pferde, im Alter auf das äußerste anstrengt, bis sie unter seinen Streichen erliegen.» Denn:

«Man muß an allen Sinnen blind oder durch den foetor judaicus völlig chloroformiert sein, um nicht einzusehen, daß das Thier im wesentlichen und in der Hauptsache durchaus dasselbe ist, was wir sind, und daß der Unterschied bloß im Akzidenz, dem Intellekt liegt, nicht in der Substanz, welche der Wille ist. Die Welt ist kein Machwerk und die Thiere kein Fabrikat zu unserm Gebrauch.» Daher:

«Nicht Erbarmen, sondern Gerechtigkeit ist man dem Thiere schuldig.»

Also keine Grausamkeit. Mangel an Gefühl.

Neben mir sitzt ein hervorragend unangenehmer junger Herr, er ist mit zwei Brautens erschienen und hat einen gar großen Mund. «Ho!» und «Ohé!» schreit er, er erteilt Noten an Stiere, Pferde und Matadore, er leitet die Sache gewissermaßen. Als der Stier einmal dringend in einem Pferd beschäftigt ist, ruft er dem Pferd hinüber: «Das hast du nicht gern, was? Das kann ich dir nachfühlen!» Mit dem setze ich mich ins Gespräch. Und er sagt, ganz und gar bezeichnend, in einem besonders scheußlichen Moment: «Mais regardez donc le toréador — le reste n'existe pas!» Für ihn nicht. Für keinen.

Immer noch Pferde. Der erste Stier ritzt eins auf und erledigt die zwei nächsten. Jetzt ist er böse und ermüdet. Und nun bekommt er es mit den Menschen zu tun.

Alles, was hier geschieht, hat seine jahrhundertalten Riten. Jede Bezeichnung, jede Bewegung, jede Möglichkeit ist traditionell. Zu dieser Tradition gehört die ‹suerte› der Banderillas. Diese Piken, die dem wütenden Stier in den Nacken gesetzt werden, um ihn noch wütender zu machen, werden ihm vorher gezeigt, es ist ritterlich, ihn darauf aufmerksam zu machen, was nun kommt, und vielleicht interessiert es ihn auch. Der Banderillenmann stellt sich also zehn Meter vor dem Tier auf, dessen Flanken wie ein Blasebalg gehen, hebt die Piken hoch, senkt sie langsam, es ist, als wolle er den Stier mit zwei Zauberstöckchen beschwören: dann läuft er den Stier an. Es ist die graziöseste und eleganteste Bewegung, die ich in diesem Stierkampf gesehen habe: das Leben des Mannes hängt an zwei Zentimetern. Der Stier sieht ihn kommen, er schnaubt ihm entgegen, er stößt nach ihm — in die Luft, da hängen die Banderillas an seinem dicken Nacken, schwanken auf und ab, etwas Blut rieselt an ihnen herunter ... Der Läufer hat nur eine ganz kleine Bewegung gemacht, um dem Stoß auszuweichen, der eben erst die Pferde aufgeschlitzt hat.

Jetzt ist der Stier ernsthaft wütend. Er brüllt, klagend und drohend, er wirft mit dem Vorderfuß Sand auf, versucht die langen Stäbe mit den Widerhaken abzuschütteln — und bohrt sie sich tiefer ins Fleisch. Wieder umspielen ihn die Mäntel der Capeadore, ein zweites Paar Banderillas wird ihm gesetzt, diesmal war der Läufer so dicht dran, daß er fast zwischen den Hörnern stand — das Publikum rast. Und nun noch ein drittes Widerhakenpaar. Inzwischen ist ein ruhiger Mann vor die Präsidentenloge getreten.

Der Stier sieht nichts, denn er ist mit seinen Tüchern befaßt. Aber was da zwischen dem Präsidenten und dem Mann in der Arena mit Kniefall und Zylindergruß ausgemacht wird: das ist der Tod. Der Mann läßt sich einen Degen und ein rotes Tuch geben.

Der Stier stürzt sich auf das rote Tuch wie ein Stier auf das rote Tuch. Der Mann hat kaum einen Schritt beiseite getan. Und nun zeigt er ihm den scharfgeschliffnen Degen. Der Stier sieht dumm herüber — er steht jetzt ganz nahe vor mir, es ist ein schwarzes großes Tier, an der nassen Haut läuft das rote Blut in kleinen Bächen herunter. Alle paar Sekunden blitzt etwas Weißes in seinem Auge auf, wie ein Funke, ein Lichtschaum. Der Toreador geht auf ihn zu, zielt . . .

Da steht der Stier mit dem Degen oben im Rücken und seinen drei Paar Widerhaken und tobt. Ist das das Ende? Die Zuschauer sind begeistert — aber es ist nicht das Ende. Einen zweiten Degen, bitte.

Es ist das Ende. Die rötesten Mäntel bringen ihn nicht mehr zum Aufsehen, er brüllt dumpf, fällt zur Seite, zuckt . . . Aus. Gruß an die Loge, grauer Zylinder, Hüteschwenken, Bravo, Hoch und Dank. ‹L'Arrastre›: ein sechsfaches Eselsgespann schleift den Stier und die beiden Pferde hinaus. Der nächste.

Der nächste ist ein junger, aufgeregter Herr, der wie ein Bajazzo aus seinem Stall herausgepurzelt kommt. Er macht den Leuten viel zu schaffen, und das soll er ja wohl auch. Er zerstößt das Pferd, das ihm sein Vorgänger leichtverwundet zurückgelassen hat, zu einem bösen Klumpen, der Picador fällt herunter, es geschieht ihm aber nichts. Der Stier zerquält ein Pferd, so daß es sich schon nach dem ersten Stoß nicht mehr erheben kann — und da liegt es. Ich kann genau das Auge sehen, das große, sanfte Auge. Das Auge versteht nicht. Es sagt: «Warum? warum?» — Es dauert lange, bis der Mann mit dem kleinen handfesten Messer kommt, das schnell wie ein Keil in den Schädel geschlagen wird . . . es dauert so lange. Die Kapelle spielt, ein sanfter Walzer wogt über das sterbende, graue Pferd hin, weich und schaukelnd — ich weiß, wie der im Sand ruhende Körper unten aussieht... Da kommt der Abdecker. Le reste n'existe pas.

Dieser Stier hat einen schweren Tod. Der Toreador verbraucht 6 (in Buchstaben: sechs) Degen, bis er ihn so weit hat — und das Publikum wird ungeduldig. «Schlächterei!» schreien die fein empfindenden Leute. Weiße Taschentücher wehen zum Präsidenten hinauf — aber der rührt sich nicht, sondern sieht, den Kopf auf die Brüstung gelehnt, gelangweilt zu. Seine Damen gucken gar nicht hin. Nun fällt der Stier. Erlöster, nicht einstimmiger Beifall.

Aber während alles um den sterbenden Stier beschäftigt ist, liegt an der Ostwand des Zirkus im Sand das graue Pferd. Sie haben es mit einer Decke zugedeckt, man sieht das Hinterteil und den Schwanz. Es ruht. Und mir ist, als glänze dieser Kadaver mit einem sanften Schein um sich.

Nummer drei will gar nicht aus dem Stall. Hohngebrüll der Arena: «Feigling!» Das kann er nicht auf sich sitzen lassen. Er kommt, passiert die beiden Torwächter, die ihm zwei kleine Haken applizieren... dann machte er seine siebenundsiebzig Stationen durch.

So sechs. Schnaubende Mäuler, sich bäumende Pferde, Pferde, die nicht wollen, aber herangezerrt werden, einmal ein Kunststück des Matadors: er neckt sitzend den böse gemachten Stier im Nakken, er rückt auf dem kleinen Holzstreifen, der die Arena innen wie eine runde Bank umgibt, immer näher an ihn heran, gibt ihm also die Zehntelsekunde vor, die er zum Aufstehen braucht — in diesem Spiel, wo es um die Zehntelsekunde geht... Und auch dieser Stier ist in einer Viertelstunde draußen, gezogen von den Mauleseln mit den roten Pompons. Ein Torero, Emilio Mendez, steht wie eine Bildsäule, bevor er zustich, in einer vornübergebeugten Haltung leicht, wie auf dem Theater... Es ist ein dunkler, schwarzer Mann, in diesem Augenblicke sieht er genau aus wie Walter Hasenclever. Ein Stier wandelt mit einem Widerhaken im Nacken umher, als gehe ihn das Weitere nun nichts mehr an. Die Tücherleute machen die Muleta: Kein Allotria! Hier! Sterben gehn! Und da bequemt er sich denn.

Bei alledem ist kein Stierkämpfer ohne Schrammen und Wunden; bekommt ihn der Stier auch nur selten zu fassen, so ritzt er ihn doch oft mit dem Horn. Was viel gefährlicher auslaufen kann, als es den Anschein hat: ist das Horn vorher in den Eingeweiden der Pferde gewesen oder hat es auch nur Erde aufgewühlt, so riskiert der so leicht Verwundete den Tetanus.

Kurz vor Schluß gehe ich hinaus. Draußen umlagern die Kutscher, die Chauffeure, Knechte und Volk das Arenagelände. Es steht hoch gegen den Himmel und sieht auf einmal böse aus. Ein Stierkampf von draußen... Ich weiß jetzt, was da drin geschieht — ich höre es an den Schreien. Zunächst bleibt alles still. Jetzt, jetzt muß er an sein Pferd geraten sein, ich fühle bis hierher den dumpfen Zusammenstoß. Die Arena schreit. «Hjai!» wie aus einer Kehle. «Hjai —!» Und dann ein langes Brausen und wirres Rufen... Langsam schlendere ich durch die Wagen.

Sind das Lieblinge, die Toreadore! Die Spanier verehren ihre Stierhelden wie die Halbgötter. Der große Tenor der Arena, Nacional II, hat vor ein paar Tagen, nachdem sie ihm bei einer Meinungsverschiedenheit den Kopf mit einer Weinflasche eingeschlagen haben, ein Begräbnis gehabt wie ein General. Kein Panthéon wäre ihnen für die großen Männer zu schade. Nun, das ist wohl überall dasselbe — nur gibt es sich anderswo wissenschaftlicher, gebildeter, immer mit dem Kulturfortschritt im Prospekt...

Herrgott aus Spanien! Wenn du Sonntag vormittags auf dein Land heruntersiehst, so steigen dir wohlgefällige Düfte in die Nase, süßer Weihrauch und die Lobreden deiner fetten Pfaffen. Wenn du aber nachmittags herunterhörst, so hörst du aus dreißig und vierzig Arenen: «Hjai! —», hörst das Blasen der Bandas, das wirre Rufen und das Brüllen der sterbenden Tiere. Jeden Sonntag. Im Jahre 1924, lieber Gott, war es zweihundertachtundvierzigmal, daß du das in Spanien hören konntest — und dabei sind nicht die simplen Spiele mitgerechnet, die sich halbwüchsige Bauernknechte in kleinen Flecken mit den ganz jungen Tieren erlauben. Nur die offiziellen: zweihundertachtundvierzig. In Frankreich für dasselbe Jahr: sechzehn. Nicht viel — aber immer noch mehr als damals, als man im Jahre 1857 die Stierkämpfer zum Lande hinausjagte. Das Verbot ist praktisch längst außer Kraft gesetzt. Sie sind alle wieder da. Und sie heiligen deinen Feiertag.

Da kommen die Leute zu Hauf aus dem Mordturm — wenn ich noch einen Wagen haben will, muß ich mich beeilen.

Eine Barbarei.

Aber wenn sie morgen wieder ist: ich gehe wieder hin.

AUSFLUG ZU DEN REICHEN LEUTEN

Wer weniger Geld hat als wir, dem fehlen die materiellen Voraussetzungen, das Leben voll zu genießen. Sicherlich schlummern auch im Arbeiter unerlöste kulturelle Bestrebungen, aber Sie müssen nicht vergessen, Herr Ministerialrat, die Tiefergestellten wollen vielleicht, aber sie können nicht. Ich bitte Sie, was haben denn diese Leute für Interessen!

Wer mehr Geld hat als wir, ist ein Trottel. Er hat wohl materiell alles, was er braucht, aber ihm fehlt doch unsre Kultur. Die neuen Reichen, Herr Ministerialrat, können alle, aber sie wollen ja gar nicht. Ich bitte Sie, was haben denn diese Leute für Interessen!

Die armen Reichen. Sie haben wirklich keine gute Presse.

«. . . jene feierliche Ironie, die ich bei allen Leuten mit bescheidnem Einkommen bemerkt habe, mit denen ich in Beziehung stehe», heißt es in dem reizvollen Tagebuch des Milliardärs A. O. Barnabooth, von Valéry Larbaud. «Ich rede sie ohne Hintergedanken an, von Mensch zu Mensch, ganz familiär, wie das zum Beispiel die Amerikaner lieben. Aber sie verbeugen sich, und wenn der Kopf ganz unten ist, stecken sie mir die Zunge heraus. Sie drücken mir die Hand wie auf einem Begräbnis, und ich fühle die ganze Verachtung, die sie für mich haben. Sie verstecken ihre Gefühle nicht einmal; denn wenn sie ihr hochachtungsvoll ergebenes Gesicht aufziehen, halten sie einen Milliardär für viel zu dämlich, als daß er etwa merken könnte, wie man ihm schmeichelt. Es sind sehr subtile Herrschaften. Ich habe erst geglaubt», sagt der Reiche, «daß diese stillschweigende Ironie das Grinsen des Neides ist . . . Aber nein, das ist kein Neid: es ist die Unfähigkeit, die Augen aufzumachen und über gewisse Vorstellungen hinauszusehen. Es ist einfach Beschränktheit.»

Denn weil sich jeder eine Welt macht, in deren Mittelpunkt er selber steht, so verneint er die der andern, deren Weltbild ihn etwa an die Wand klemmen könnte. So heben denn silbergepunzte Demokratenfrauen die armen Arbeiter, die es nicht besser wissen, und verachten die reichen Milliardäre, die es nicht besser wissen. Reiche Leute haben eine gefügige Presse. Reiche Leute haben keine gute Presse.

In Biarritz kommen sie wild vor. Der nach Fischen riechende Winkel, als den Taine den Ort noch in den fünfziger Jahren angetroffen hat, ist durch den spanischen Adel und vorzüglich durch die Queen, der die englische Aristokratie todesmutig nachfolgte, erst zu dem geworden, was es heute ist. Es liegt entzückend: die silbrig-blaue Küste mit Felsen, die kunstvoll durchbrochen sind, so daß man darin spazierengehen kann, Blumenanlagen: es wächst da ein niedriger Baum mit hellgrünem, zartgefiedertem Laub, der wie ein Mohrrübenbaum aussieht, und an bestimmten Stellen zu bestimmten Stunden geht es auch recht elegant her, nur das allgemeine Straßenbild ist nicht elegant. Allerdings spielt sich ‹Biarritz› auf den Besitzungen der reichen Leute ab, in den Klubs, den Parks, den kleinen und großen Villen am Meer und in den Schlössern, die von der Küste entfernt liegen. Will man französische Eleganz beschreiben, so muß man nie vergessen, daß die Begriffe ‹Kempinski› und ‹Esplanade› deutsche Begriffe sind und daß Frankreich nicht das besitzt, was einmal ein sehr witziger Mann mit dem Wort «Berlin hat eine Mittel-Volée» bezeichnet hat. Die französische Mitte liegt in der äußern Lebensführung und in den Ansprüchen wesentlich unter der deutschen, aber dafür gehts dann auch oben ganz hoch hinauf. Der große Reichtum... Davon kann ich nun wenig berichten. Nicht etwa aus Verachtung, sondern weil ich diesen Kreis des Lebens nicht abgeschritten habe, weil er mir fremd ist, weil meine finanziellen Mittel nicht ausreichen, ich mir also meine Nase an der Glasscheibe platt drücken müßte. Mir ist es nicht selbstverständlich, im Hôtel du Palace abzusteigen, der Apparat würde auf mir lasten, und ich käme über jene gequälte Ironie nicht hinweg, die der Reporter anwendet, um zu zeigen, daß ihm das alles in keiner Weise imponiert und daß er doch der bessere Mensch ist.

Nach Biarritz bin ich aus Pflichtbewußtsein gegangen. Die Fotografien in den Zeitschriften hätten mich nicht gelockt: auf allen waren die weißbehosten Tennisspieler mit ihren Damen zu sehen, das Meer und das Auto im Hintergrund, sie saßen — wie ländlich! — am Wegesrand oder an kleinen Tischen mit Teekännchen und roten Sonnendächern.

Die Kurliste sagt, wer alles in Biarritz ist. Sie finden das in Ihrer eleganten Zeitschrift, wenn die es nicht vorzieht, Heringsdorf zu fotografieren. Die Mistinguett soll auch da sein. Aber Missia habe ich selbst gesehen, Missia, das dicke Stück aus dem Theaterchen Perchoir zu Paris, eine himmlische, nicht mehr junge Person mit einem Gesicht wie ein, sagen wir, Mond, einer Himmelfahrtsneese und frech! Frech wie Anton. Sie geht mit einem jungen Mann über die Straße, tut recht vertraut mit ihm, und ich bin maßlos eifersüchtig. Ich auch...!

In dem kleinen Restaurant, wo ich das Frühstück nehme und beileibe nicht esse, da sitzt mit Papa und Mama und Brüderchen eine ganz junge Engländerin, ein Kind, sie ist vielleicht fünfzehn oder sechzehn Jahre. Sie hat ein bißchen Sommersprossen, einen langen Kopf, lange Finger — sie ist gar nicht hübsch. Aber sie ist unanständig, sie hat das, was ältere Herren zu erheblichen Unvorsichtigkeiten verleitet, etwas Verdorben-Frauliches, sie lockt... einmal rasch hinter der Hoteltür, wenn Mama nicht hinsieht... Vielleicht macht's ihr gar keinen Spaß, aber sie hat in ihren verbotenen Büchern gelesen, daß es Spaß macht. Nun, man wird sie gut verheiraten, und dann wird es wohl vorbei sein.

Übrigens, das ist nun in so einem fernen Badeort ganz besonders hübsch, daß nicht alle zehn Schritt jemand auf der Straße wie angewurzelt stehenbleibt, einen mit idiotisch erfreutem Gesichtsausdruck ansieht und brüllt: «Nein —!» Dergleichen ist Stenographie und heißt: «Traue ich meinen Augen? Sie sind es natürlich nicht, denn Sie können ja gar nicht in demselben Ort sein wie ich!» Und dann gehts los, und der ganze Vormittag ist flöten.

Ciboure. Ich muß in die Réserve de Ciboure, das habe ich in Paris aufbekommen. Nicht in die Hotels, nicht zum Père Tolstoi, der mit schütterm Bart und schöner Tochter ein Nachtlokal leitet — ich soll in die Réserve de Ciboure. Wenn ich muß ...

Der große Wagen flitzt durch den Abend, läßt Biarritz hinter sich und biegt dann weit ins Land hinein. Auffällig ist die vorzügliche Straßendisziplin der Fahrer. Nein, es ist viel mehr als Disziplin und Verkehrsordnung und Angst vor dem ‹procès-verbal›, dem Protokoll, der Strafanzeige: es ist echte, gegenseitige Rücksichtnahme. Nicht ein Mal auf allen Fahrten in den Pyrenäen habe ich gesehen, daß die Chauffeure sich Hindernisse in den Weg fahren, sich anärgern, es dem andern ‹aber ordentlich besorgen wollen›. Sie veranstalten keine Wettrennen, die dem Herrn schmeicheln sollen — «Na, Klumpke, nun zeigen Sie mal, was Sie können!» — «Jawoll, Herr Generaldirektor!» — sie streiten sich nicht an den Wegkreuzungen, wer das Vorfahrtrecht habe; es geht wie geölt. Daß die Wagen abends die Scheinwerfer ausschalten und sich zwinkernd, um den andern nicht zu blenden, grüßen wie Schiffe, die nachts sich begegnen — das geschieht ja wohl in Deutschland auch. Aber diese fast ritterliche Art: Bitte nach Ihnen! die ruhige Freundlichkeit, mit der auch die schnellen Touren ausgefahren werden — das ist angenehm zu sehen. Man fühlt sich sicherer.

Bidart, Guéthary, über den kleinen Marktplatz von Saint-Jean-de-Luz mit den lustigen verkrüppelten Bäumen ... dann biegt der Wagen an einem Hafen rechts ab und fährt vor.

Die Réserve de Ciboure ist eine kleine Terrasse, die an einer Bucht liegt: die Lichter von Biarritz flimmern herüber, es ist schon ein bißchen kühl, und die Kapelle wird sich erst warm arbeiten müssen. Kleine Tische mit Lämpchen, in der Mitte eine Tanzfläche. Man muß vorher reservieren lassen, es gehört zum guten Ton, hier einmal zu soupieren, was man sagen darf, ohne prätentiös zu erscheinen, denn es wird erst um zehn Uhr abends gegessen.

Leider nicht sehr gut. Wenn ich zu den Indianern fahre, will ich es indianisch haben. Auch über den Sekt gibt es nichts zu lachen. Und da sitzen sie also.

Sehr viel Fremde: Südamerika, die Staaten, England, Amerika,

England. Dessen Männer sehen wie immer gut aus, die Amerikanerinnen fürchterlich. Wenn man sie so dasitzen sieht, denkt man an Klavierlehrerinnen, die sich einen feinen Sonntag gemacht haben; sie tragen Schmuck, den man ihnen gekauft hat, aber er blitzt verräterisch zu andern hinüber: er fühlt sich nicht wohl bei ihnen. Sie sind völlig an ihn gewöhnt; aber er tut ihnen nicht den Gefallen, sie zu schmücken. Sie wissen, daß sie hier in einem Amüsierlokal sind, und so amüsieren sie sich denn. Und weil dies kein einheitlicher Kreis von guten Leuten ist, der zusammengehört, sich kennt, aufeinander abgestimmt und eingespielt ist: so fehlt jene Luft, die erst den Reiz und den Witz großer Empfänge und gardenparties ausmacht; es ist einfach eine bezahlte Sache. Ich empfinde zum dreihundertsten Male auf dieser Erde: ‹große Welt› kann man nicht kaufen, indem man in einem Hotel ein Diner bezahlt; das ist Aberglaube. Man wird hineingelassen, aber man gehört nicht dazu. Und wäre nicht das geschwellte Bewußtsein so vieler Snobs, die hier keine Réserve de Ciboure, sondern nur ihre falsche Überlegenheit über die armen Luder zu Hause erleben — sie langweilten sich noch mehr. Übrigens glauben sie, Vornehmheit färbe ab, und sie sind so stolz auf das Geld der andern.

Eines allerdings muß man hier allen nachloben: die Haltung ist selbstverständlich. An keiner Stelle findet sich: «Na, was sagt ihr nun? Hier sitze ich und trinke so teuern Sekt!» Nirgends. Diese abendlichen Tische, diese Tanzkapellen, dies Essen und dieser Wein — das ist ihr Leben, sie sind nicht darüber erstaunt, und sie verlangen von keinem, daß er sie bewundere.

Der Nebentisch ißt. Andere Leute soll man nicht beobachten — und es wird hier auch nirgends getan. Man kann durch ganz Frankreich, einschließlich Paris, fahren, ohne daß einen alle Leute anstieren, einsortieren, die Bilanz ziehen, das Inventar aufnehmen. «Was mag der sein —? Akademiker? Industrie? Diplomat? Weniger als ich? Hurra! Mehr als ich? Dann wollen wir ihn wenigstens bewundern —!» Ich brauche auch gar nicht hinzusehen, ich weiß, wie sie essen.

So oft ist mir schon aufgefallen, was geschieht, wenn die reichen Leute zu essen bekommen: sie sehen dem Kellner auf das herbeigebrachte Futter, mit einem scheinbar gleichgültigen, aber doch gespannten Ausdruck, es rinnen ihnen sozusagen die geistigen Appetitfäden aus dem Gehirn, schwer sitzen sie da: ‹Das steht mir zu, das ist meins›, und ich bin überzeugt, sie fingen an zu knurren, wenn's ihnen jetzt einer wegnehmen wollte. Es ist eine heilige Handlung, ihr Essen, nicht nur, weil es so gute Sachen sind, sondern weil der Herr nun bedient wird. Die Käfigwärter tun alles, um diesen Glauben zu stärken. Sie tragen die dünnste Gemüsesuppe wie eine Hostie heran, sie schöpfen behutsam ein, sie tranchieren wie ein Chirurg, subtil, mit äußerster Aufmerksamkeit, und sie halten den Pudding, wie man ein Kindchen wiegt. Stille! Der Herr ißt.

Worauf die Musiker ‹Tea for two› spielen und die Leute tanzen. Sie tanzen geschäftlich: sehr ernst, ganz und gar egoistisch, durchaus mit sich beschäftigt, die andern Paare gibt es nicht. Mit Erotik hat das so wenig zu tun wie ein Telefongespräch: es kann damit zu tun haben, aber im Wesen der Sache liegt es nicht.

Jetzt, nachdem alle gegessen haben, breitet sich jene weltversöhnliche Stimmung aus, die einen so nach vollkommner Sättigung beschleicht. Sie ist der konservativen Weltanschauung durchaus förderlich: ein Verdauender empfindet es als störend, wenn jemand giftige Gespräche führt. Nicht, nicht ... die Welt ist doch so schön ...!

Übrigens wird es jetzt wirklich kühl, gleich werde ich aufstehen und so tun, als ob ich gar nicht auf den Gedanken käme, man könne nach Biarritz auch zu Fuß gehen. Der Wagen soll vorfahren.

In Biarritz hängt vor einer erleuchteten Scheibe das Bild van Dongens, das er von Yvonne George gemalt hat, der Diseuse. Soll ich noch ...? Aber der Manager, der herausgestürzt kommt, ist derartig beflissen und das Lokal derartig leer, daß es wohl ein Reinfall werden würde, und so wollen wir denn lieber nach Hause fahren.

Geld —?

Erfolgreiche Prokuristen pflegen mit einer Stimme zu sprechen, die nach gebratenen Gänsegrieben schmeckt, etwas Geld ist scheußlich. Viel Geld ist schön. Und bis in den Schlaf verfolgt mich der müde, völlig gleichmütige, ausgeglichene Blick des blauen Augapfels mit den schweren Augenlidern: das Gesicht der wahrhaft reichen Leute.

ZWEI KLÖSTER

Das ist meine erste Begegnung mit den Pyrenäen:

Hinter mir die glatte, große, geteerte Automobilstraße, die von Biarritz nach San Sebastian führt, nun schlängelt sie sich ans Meer, und links, im Osten, liegen die blauen Berge: die Pyrenäen. Sie sind nicht allzu hoch — ihre Linien sind sanft geschwungen, der scharfe Grat ist hier selten, und alle Kuppen sind rund. Es ist wie erstarrte Musik in diesen Höhenzügen. Bei Hendaye stoßen die letzten Ausläufer fast ans Meer. Wir fahren an der Küste entlang.

‹Côte d'Argent› ist ein guter Name für sie — die Wellen blitzen silberweiß. Rechts fällt die Küste steil ab, im Geröll suchen Männer nach Vogeleiern. Links stehen die ersten Felsen, nicht sehr majestätisch, aber für eine Anfangsbegrüßung Felsen genug. Der Wagen schnurrt um die Kurven. Wir fahren nach Spanien — zum Kloster des Ignatius von Loyola.

Vorläufig am Wasser entlang, immer am Wasser, und manchmal bremst der Chauffeur und erklärt uns die Landschaft. Wir rollen durch Saint-Jean-de-Luz und dann durch Hendaye, wo Pierre Loti gestorben ist, wo Unamuno zum großen Ärger der Spanier wohnt und Claude Farrère sich ein Haus bauen läßt — und das da: das ist der Bidassoa-Fluß, die Grenze. Nächtlich, an der Bidassoa lispeln ... ich weiß schon: es hat anderswo gelispelt. Aber dies ist auch sehr schön.

Zollwächter, Gendarmen, Pässe, Hände an den Mützen, bitte sehr, danke sehr, Grenzpfahl, dasselbe auf der andern Seite: Spanien. Guten Tag.

Wie Balkons ein Straßenbild verändern! Fuentarabia, als pittoresk gepriesen, aber so leid es mir tut: blitzsaubere Straßen. Wie ich überhaupt auf allen meinen Reisen durch den Süden Frankreichs nicht habe finden können, daß das Geschrei von dem «verlodderten Süden» heute noch seine Richtigkeit hat. Marseille riecht um den alten Hafen herum wie eine Sardinenschachtel, das ist wahr, und in den engen Gassen hinter der Cannebière wird man kaum eine Wohnung mit allem Komfort finden. Aber die kleinen Städte im Midi, die südlichen Städte, die ich hier in den Pyrenäen gesehen habe, sind nicht schmutziger und nicht sauberer als jede kleine deutsche Stadt.

Vor Zumaya, da, wo die Route das Meer verläßt, um nach Süden zum Kloster abzubiegen, begegneten wir einer eleganten Limousine. «Das wird er sein!» sagte der Chauffeur unvermittelt. «Wer?» fragte ich. Es war, wenn ihn nicht alles täuschte, ein großer spanischer Tenor aus Madrid, der grade in San Sebastian gastierte. Er hatte ihn gehört. Und im Klappern des Viertaktmotors sang er ein paar schöne Stellen von Verdi, und nur in den Kurven legte er kleine Pausen ein. Anch'io sono pittore —! Er hätte eine schöne Stimme, teilte er mit, aber leider, leider fehle es ihm an Geld, sie auszubilden. Denn was jener Tenor heute sei, das vermesse er sich in spätestens zwei Jahren auch zu werden! Und so chauffiere er denn an der Unsterblichkeit vorbei, die Bremsen unter den Füßen, das Steuer in der Hand und eine unerfüllte Künstlersehnsucht im Herzen.

Der Tenor besuche übrigens wahrscheinlich Zuloaga, und er zeigte mir dessen große Villa im Grünen. Da malte er nun.

Jetzt bot die Landschaft nichts Bemerkenswertes, und der Chauffeur wurde gesprächig. Zigeuner zogen an uns vorbei, und er stellte fest, daß diese ‹bohémiens› aus der Bohème kämen, also aus Böhmen. Das war mir neu. Und dann sprachen wir über die Spanier und über das Elend, das den kleinen Mann bedrückte — in der Tat begegneten uns hier, wie überall auf den spanischen Grenzfahrten, die ich gemacht habe, Gendarmen, Pfaffen, Pfaffen und Gendarmen, Gendarmen und Pfaffen. Hier wären alle Leute katholisch, sagte der Chauffeur. Zum Beispiel Protestanten, die gäbe es gar nicht. Die Protestanten hätten aber auch ihre Geistlichen, sagte er, man nenne sie Rabbiner. Ich erwiderte schonend, daß es auch Protestanten gäbe, die Pfarrer ihr eigen nennen — und das glaubte er schließlich. Und wir fuhren und fuhren.

Nach ein paar Stunden öffnen sich die Berge, ein Tal erscheint, der Wagen rollt auf einer breiten Zufahrtsstraße grade auf das Kloster zu. Mir bleibt das Herz stehen.

Die Basilika mit der hohen Kuppel ragt auf, zwischen grauen Fronten, rechts und links mit vielen holzverschlossenen Fenstern. Sie ladet den Weg ein, in ihren runden Portalen zu münden — er tut es. Weiter hinten, rechts der Chaussee, liegen die Seminargebäude für die hundertfünfzig Novizen der Jesuiten, die hier untergebracht sind — mit diesen Häusern stehen die Basilika und das Heilige Haus des Ignatius ganz allein in den Bergen. Das Tal rundum ist still; hier in den Bergen werden die schwarzen Eier ausgebrütet. Das große Haus, mit der Kirche und den paar Nebengebäuden — von hier ist die spanische Welt regiert worden, von hier wird auch heute noch so viel leise Regierung vorbereitet...

Der Ordensgründer hatte gewußt, was er tat. Die verblüffende Ähnlichkeit seiner geistlichen Übungen mit denen der Yogis ist längst aufgedeckt — es ist in der Sache wohl kaum ein Unterschied. Was das Militär aller Länder mit roher Gewalt versucht und nie zu Ende geführt hat, hier ist es mit der glänzendsten Geschmeidigkeit gelungen: Menschen ergreifen, umformen, in den Zustand der Halblähmung bringen, um dann aus den Geschwächten die größte Stärke herauszuholen.

Innen gleißt es vor Gold. Der Fußboden ist aus gehämmertem Silber, die Truhen und Altäre aus allem edeln Material zusammen, das es überhaupt gibt: Gold und Silber und Halbedelsteine·und

Alabaster und Marmor ... Aber wie ist das gemeistert! An keiner Stelle schreit die Kostbarkeit — alles dient, scheinbar demütig, Gott.

Man darf sich einen Hausflügel ansehen. Und während wir in dem breiten, dunkelgetäfelten Treppenhaus umhergehen, dringt Stimmengewirr an mein Ohr. Vielleicht kann man hier nicht eintreten? Der spanische Führer macht eine einladende Kopfbewegung.

Da beten die Jesuiten.

Im dunkeln Halblicht des grauen Nachmittags sehe ich:

Den, der die Gebetsübung leitet, ein wundervoll feiner Kopf mit goldner Brille, schmallippig, mit grauen Augen. Ein andrer steht daneben. Die kleine Kapelle ist durch ein Gitter abgeteilt, da drinnen sitzen sie, die schwarzen Soutanen auf Dunkelbraun. Ich darf in einen kleinen Nebenraum treten, er hat einen hellen Teppich und ein kleines Fensterchen, das zur Kapelle führt. Davor kniet, aus irgendeinem Grunde von den andern ausgeschlossen, ein junger Novize, ein schöner, schwarzer Mensch von vielleicht zwanzig Jahren. Sein Gewand hat sich auf den Boden gebreitet. Ich stehe bewegungslos. Und lausche.

Die Stimme des Leiters hebt sich klar heraus. Aber was ist jenes andre? Es rollt, es kehrt wieder, ich kann nicht verstehen. Es sind offenbar viele Männerstimmen — und da sehe ich im Hintergrund der Kapelle zehn oder fünfzehn Novizen, die den Chor bilden. Jetzt höre ich: «Ora pro nobis — ora pro nobis — ora pro nobis — ora pro nobis —»

Es hat mich. Es kehrt immer wieder, und da die Wiederholung die einzig wirklich künstlerische Form ist, die es überhaupt gibt, was Buddha und sein genialer Übersetzer Neumann gewußt haben, weil das Ohr nach dem achten Mal nichts mehr zum Gehirn leitet, sondern eine feine Erschlaffung die Nerven befällt, so dringt das Gift in alle Poren ein. Durch Wiederholung wird das Wort fremd und kehrt verwandelt wieder. Welche wundervollen Handbewegungen! welche Köpfe! welche Summe von Charakter, Intelligenz, Wissen, Geistigkeit! Der Schmuck an den Wänden glänzt matt, weiche Teppiche dämpfen den Schritt — ich habe nie so elegant beten sehen.

Und plötzlich weht mich etwas an, eine lange Satzfolge — Worte ... «Spinnfabrik — Vorarbeiter ...» Ich habe später nachgesehen, was es war. Es war eine Seite des großen Oskar Panizza: gestorben, verdorben; die Bücher verboten, in alle Welt verstreut, vergriffen, das Wichtigste nie wieder aufgelegt ... Es war die Seite über das Gebet. Hier ist sie:

«Auf einer meiner Reisen kam ich eines Tages in einer wundersamen Gegend, in Tirol, in eine Dorfkirche. Sie war edel und freundlich gebaut; im Innern luftige Hallen; an den Säulen und Wänden auf den Postamenten standen Apostel und Heilige in verzückten Stellungen, ihre Marterwerkzeuge ostentativ in der Hand haltend; und unten in den Stühlen lagerten schwarze, gebeugte Massen: lebendige Menschen. Gleich beim Eintritt empfing mich ein eigentümliches Plätschern, Klirren, Schnurren und Rasseln, wie von englischen Webstühlen. Ich glaubte wirklich anfangs, es seien irgendwo im Keller versteckt Häckselmaschinen, die arbeiten, oder hinterm Chor eine Lokomobile, die Getreide drischt. Aber bald fiel mir auf, daß in den schnurrenden Geräuschen regelmäßig wiederkehrende Perioden von bestimmter Länge zu unterscheiden waren, und daß, vergleichbar dem auf jenen Webstühlen Gewobenem, bestimmte Dessins und Farbeneinschüsse in maschinensicherer Abwechslung immer wieder kamen und gingen. Und hier waren die Dessins zu meiner nicht geringen Verwunderung Sprachperioden und Satzkomplexe. ‹Maria, Gebenedeite!› und ‹jetzt und in der Stunde des Absterbens› waren die stets wie auf Stramin gewobenen, vorüberrauschenden Figuren und Lautnuancen. Und nun merkte ich wohl, daß es die im Kirchenschiff kauernde Menge war — lebende Menschen —, von deren Lippen und Zähnen dieses Schnurren und Brausen kam. Vorn, ganz weit vorn, stand in einem weißen Kittel der Vorarbeiter, und was er lallend und gurgelnd — und wie ich wohl sah, in seiner Arbeit eminent geschickt — angab, woben und schnurrten die andern nach; zuerst die Alten in den vorderen Kirchenstühlen; und dann hinten die Fabrikmädchen; und was diese mit den fleißigen Zähnchen lieferten, klang, als wenn man Erbsen in irdene Töpfe prasselnd fallen läßt; so hellen Diskant woben die kleinen Finger. Lang, lang blieb ich stehen, wohl eine halbe Stunde, stumm und erstarrt, und konnte es nicht fassen. Fast so lang, wie vor dem Rheinfall bei Schaffhausen; eingelullt von dem ewig gleichen Rauschen und Brausen und ganz versunken in Gedanken, und in Gedanken fortgetragen in eine kleine, ferne protestantische Kirche im Norden, wo ich als Knabe mein stummes Gebet still zu Gott sprach — bis endlich der Wasserfall aufhörte, und das Brausen ein Ende nahm; und ich erwachte; und nun wohl erkannte: das, was ich gehört hatte, waren die *Gebetgeräusche der katholischen Kirche;* und das Webestück, die Arbeit, die sie vollbracht hatten, nannten sie —: *Gebet.*»

Das war es.

Langsam verließ ich den Raum, langsam fuhr der Wagen davon. Hinten in den Bergen, in denen jetzt der Nebel aufstieg, lag das Kloster des heiligen Ignatius von Loyola.

Das Kloster zu Ronceval ist jenseits der Grenze.

Der Botschaftssekretär an der spanischen Botschaft in Paris hatte gesagt: «Die Erlaubnis zur mehrmaligen Überschreitung der Grenze können wir Ihnen nicht geben. Die Franzosen haben Ihnen das erlaubt? Wenn Sie das wollen, müßten wir nach Madrid telegrafieren...» Nein, dachte ich. Primo de Riveran persönlich angehen, ihn am Ende stören, wenn er grade kühnlich sein Haupt in einer Untertanin Schoß legt — nein. Und jedesmal, wenn ich die spanische Grenze überschritt, ohne Bestechung, ohne Beziehung, ohne Schleichwege, jedesmal gedachte ich des Sekretärs in Dankbarkeit und gehorsamer Liebe. «Ich bin ein anständiges Mädchen!» rief die spanische Grenze in Paris. Aber wenn man nachher der Sache näher trat, da gings schon.

Ronceval — ganz richtig: das ist da, wo Roland erschlagen wurde. Man zeigt heute noch die Kampfkeulen, mit denen ... aber das will ja niemand wissen.

Das Kloster liegt ein paar Wegstunden hinter Saint-Jean-Pied-de-Port, und man fährt durch schöne Waldschluchten, über denen Geier kreisen; sie äugen herunter, ob sie nicht in einer Schafherde etwas einkaufen können. Der Weg dreht sich höher, bis etwa zu tausend Metern, dann klettert er über einen Gebirgspaß, und da steht das gemütliche Gebäude.

Das Kloster war einmal. Es gibt da noch einen Abt und elf Mönche, die immens reich sind, alles Land im Umkreis gehört ihnen — aber Ronceval ist längst nicht mehr, was es war. Ein großes Trumm Häuser ist zu einem Gefüge miteinander verbunden, er umgibt Innenhöfe und die Kirche. Die Dächer haben sie mit einem scheußlichen Blech belegen lassen, und innen ist Zentralheizung, denn es ist sehr kalt hier im Winter. Aber ich glaube: ein Kloster mit Zentralheizung, das ist überhaupt kein Kloster.

Der Sakristan zeigt die Kirchenschätze. Aufgehäuft liegen da Kleinodien, Reliquien, Gold- und Silbergesticktes, ein Dorn von ... ein Stückchen Knochen des ... Der Sakristan muß wohl irgendeine Störung der innern Sekretion haben: er ist wachsgelb, er hat dünne, blutleere Lippen, einen merkwürdigen Mikrokephalenschädel. Er ruht nicht, bis ich alles gesehen habe, und verschont mich mit keiner Einzelheit.

Oben in der Kirche sitzen die Mönche und beten fett und laut ein Nachmittagsgebet. Ihre Stimmen hallen. Unten beichtet einer, sein Kopf verschwindet hinter dem Vorhang des Beichtstuhls, und ein herauslangender Priesterarm legt sich dem Sprechenden beruhigend um die Schulter. «Nichts», hat ein kluger Mann gesagt, «macht dem Spanier soviel Vergnügen, als einen Menschen totzuschlagen und nachher in der Kirche ausführlich und zerknirscht darüber zu sprechen.» Auf Zehenspitzen gehe ich durch die Kirchentür ins Freie.

Von außen sieht das Kloster aus, als säßen in den wohlgeheizten Stuben zwölf Mönche und drehten die Daumen gemächlich umeinander. Aber man kann einen großen, schön eingerichteten Lesesaal sehen, und sie haben auch eine Bibliothek. Ich unterhalte mich mit einem spanischen Geistlichen, wir sprechen lateinisch. Das heißt: er spricht lateinisch. Ich sage alle meine Fehler aus alten Schulaufgaben auf, konstruiere ut mit dem Indikativ und benehme mich recht scheußlich. Si vales, bene est — ego valeo. Zum Abschied sage ich gar nichts mehr. Denn wenn ich jetzt noch «Bonus dies!» rufe, dann wird mir der geistliche Herr wohl eine kleben.

SAINT-JEAN-PIED-DE-PORT: DIE BASKEN

Ein Graf von Montmorency rühmte einst vor einem Basken das Alter seines Namens, seines Adels, seiner Familie, rühmte, von welch großen Männern er abstammte. Der Baske erwiderte: «Wir Basken, Herr Graf: wir stammen überhaupt nicht ab!»

So alt dünken sie sich. Sie haben es gut: man kann ihnen nichts beweisen. Man weiß nicht, wer sie sind, weiß nicht, woher sie stammen, was für eine Sprache das ist, die sie sprechen — nichts. Denn kein Latein, keine romanische, keine nordische Sprache hilft dir hier. Eine Sprache, in der die Worte:
«Wer durch diese Türe tritt, mag sich wie zu Hause fühlen»:
Atehan psatzen dubena bere etchean da
heißen — die ist für uns wohl nicht zu enträtseln. Es hat sie auch keiner enträtselt. Versucht habens viele. Eine unaufgeklärte wissenschaftliche Sache? Das läßt keinen deutschen Professor ruhen. So sehen wir denn eine ganze Reihe Deutscher unter den Forschern Eskual Herrias, wie die Basken ihr Land nennen: Wilhelm von Humboldt verstand und sprach baskisch, und Hübner, Uhlenbeck, Linschmann, der Begründer einer Baskischen Gesellschaft zu Berlin; Phillips, Schuchardt in Graz und viele andre haben an diesem Rätsel gearbeitet. Gelöst hats keiner. Es gibt da Schulen und Gruppen; erste Theorie: die Basken seien vom Süden gekommen, zweite: sie seien vom Norden gekommen, dritte: sie seien Asiaten ... für alles gibt es Beweise, für nichts gibt es Beweise. Nur für eine traurige Sache gibt es ein Anzeichen: diese Sprache kann eines absehbaren Tages aussterben.

Zunächst bildet sie sich schwer fort. Sie formt keine neuen Wörter für neue Begriffe, und wenn die Basken ‹Bleistift› sagen wollen, so müssen sie sich, da die Sprache das Ding nicht kennt, des französischen Wortes bedienen, dem sie die baskische Endung ‹a› anhängen: ‹crayona›. Die alte Generation sprach nur baskisch, und ich habe Leute gesehen und ihnen zugehört, mit denen ich mich gar nicht verständigen konnte; die jüngere Generation versteht fast durchweg französisch und spricht also beides — aber es gibt schon junge Leute und ganze Dörfer, da ist es aus, und die baskischen Forscher unter den Franzosen schildern mit Trauer, wie man sie auf Forschungsreisen von einem Dorf ins andre geschickt hat: Ja, bei uns spricht man nicht mehr baskisch ... Aber vielleicht in Izaba ... Die Sprache kann erlöschen.

Die Rasse sobald nicht. Sie sind ungefähr fünfhunderttausend Leute, nicht mehr — vier Provinzen liegen auf spanischem Boden, drei auf französischem: Labourd, das ist die westlichste, mit Bayonne und Saint-Jean-de-Luz; Nieder-Navarra mit Saint-Jean-Pied-de-Port und Soule mit Mauléon. Die Basken kehren sich nicht an die bürokratische französische Departementseinteilung, die ja offiziell alle die schönen Namen wie Bretagne, Normandie überhaupt nicht kennt, sie nennen ihre Provinzen mit den alten Namen. Aber so stolz sie auf sich sind: es ist nichts Aggressives dabei, und eine ‹baskische Frage› gibt es nicht. Hier will niemand erlöst werden, weil sich niemand bedrückt fühlt.

Der erste Eindruck ist, mitten im Gebirge: Seeleute. Für dieses Gefühl gibt es keine rationale Begründung; ihre Gesichter, ihre ruhige Art, sich zu geben, die selbstbewußte Kraft, die innere Freiheit — alles das läßt an das Meer denken, an Fischerboote und Hafenmenschen. Ob ihre Vorfahren ein seefahrendes Volk gewesen sind — wer weiß das. Aber der Unterschied zum Franzosen aus dem Binnenland ist außerordentlich groß. Die Männer sehen gut aus, sie haben schmale Köpfe, durchgearbeitete Züge, man fühlt bei jedem Bauernkopf: das ist einer für sich!

Die Sitten waren lange ganz patriarchalisch und sind es zum Teil heute noch. Der pater familias hat eine unbegrenzte Regierungsgewalt, die Frau dient, aber ungedrückt; das Züchtigungsrecht der Eltern wird fast bis zur Volljährigkeit der Kinder ausgeübt. Ich habe mich erkundigt, ob denn nicht die Tatsache, daß viele Basken im französischen Heer in so ganz andern Gegenden gedient hätten, diese Familienverfassung langsam über den Haufen wirft. Man hat mir mit Nein geantwortet, und ich denke, daß das richtig ist. Diese konservative Tradition hat ihren guten Grund.

Großgrundbesitzer gibt es in diesen Landstrichen wenig, die

Bauern sind frei. Aber sie haben alle das größte Interesse daran, sich ihren Landbesitz ungeschmälert zu erhalten, und dem steht das französische Erbrecht entgegen, das kein Fideikommiß kennt. Was nun —?

Nun haben wir dieselbe Erscheinung wie damals beim preußischen Landadel, als sein Fideikommiß gesetzlich abgeschafft wurde. Die preußischen Adligen wie die Basken: beide Gruppen halten das alte Familienrecht durch Übereinkunft fest, die benachteiligten Erben verzichten, und es gibt bei beiden Gruppen keinen Fall, wo die jüngeren Geschwister dem Ältesten das Vatergut durch einen Prozeß streitig machten, den sie unfehlbar gewinnen würden. Die Eltern verschaffen dem Ältesten die Möglichkeit, den Jüngern ihren Erbteil abzukaufen, manchmal wird diese Schuld hypothekiert; ist ein Sohn im geistlichen Stand, so verzichtet er als Angehöriger einer Kirche, die an dieser alten Landeinteilung auf das äußerste interessiert ist — auf alle Fälle umgehen sie das ihnen unbequeme Gesetz. Der Landbesitz soll ungeteilt erhalten bleiben. Und er bleibt erhalten. (Auch in Andorra habe ich etwas Ähnliches gefunden.)

Dieses Land der Basken nun ist weich, angenehm, begrünt und wellig, soweit es vor den Pyrenäen in der Ebene liegt, wie überhaupt der Fuß dieses Gebirges das Schönste ist, was ich dort zu sehen bekommen habe, und das fast überall: von Bayonne bis Perpignan, vom Atlantischen Ozean bis zum Mittelländischen Meer. Les Basses-Pyrénées bergen noch genug Klüfte und schwierige Bergspitzen, davon hält sich der Landbesitz natürlich fern. Ihre Häuser sind geweißte Steinbauten unter zierartiger Verwendung von dunkeln Holzbalken — die modernen Architekten haben diesen Stil für Villen und Landhäuser der Gegend adaptiert. Diese Holzbalken finden sich hauptsächlich in Labourd; in Navarra weniger, da sehen die Häuser düstrer aus und in Soule sind sie lediglich aus Stein. Alle Häuser stehen mit der fensterlosen Rückwand nach Westen, von da kommt der böseste Wind. Die Kirchen konnte man so nicht bauen, wollte man nicht mit allen liturgischen Vorschriften brechen: die Kirchentür ist also häufig durch eine Mauer gegen den Wind geschützt.

Fast alle Häuser haben kleine Balkons. Es gibt elende Bauernbaracken und gepflegte Häuser, die gut im Stand sind. Die Kirchen haben mitunter merkwürdige alte Glockentürme, in denen primitiv die Glocken baumeln. Und sie haben innen etwas sehr Merkwürdiges: Galerien für die Männer. Diese Trennung wird sonst nicht oft gefunden, und sie hat einen eigentümlichen Grund.

In den baskischen Provinzen gibt es viele Schafe. Wenn man

nun wissen will, wo in Frankreich im Mittelalter die Zauberei zu Hause gewesen ist, so braucht man sich nur auf der Karte die Gegenden anzumerken, wo Ziegenbock und Schafbock vorkommen — dann hat man sie unweigerlich. Diese Zauberei, deren letzte Rudimente heute noch in plumpem Aberglauben vorhanden sind, ist rein katholischen Ursprungs: es ist sozusagen eine gotische Magie. Da ist keinerlei Beeinflussung vom Osten her, nichts Asiatisches — es ist der gute alte römische Teufel, der da sein Wesen treibt. Bauernmagie ist eine verwickelte Sache: ein so flacher Materialist wie der Herr Hellwig aus Potsdam, Landgerichtsrat und preußischer Spezialist gegen Okkultismus, würde nicht viel Ersprießliches aus ihr herausholen. Nun gab es im zwölften Jahrhundert eine Ketzerbulle nach der andern, die auf das arme Land herunterdonnerte — die Kirche rückte auf einmal in den Mittelpunkt des Interesses; da reichten die Kirchenräume nicht aus, und in dieser Zeit hat man die Galerien angebaut. Man findet diese schweren alten Holzgalerien in fast allen baskischen Kirchen. Eine besonders schöne, dreistöckige in der großen Kirche zu Saint-Jean-de-Luz, das in der Nähe von Biarritz am Meer, kurz vor der spanischen Grenze liegt; dort ist Ludwig der XIV. getraut worden, und auch das Haus Haraneder steht noch dort, in dem die Infantin Maria-Theresia vor ihrer Hochzeit gewohnt hat.

Die Kirche spielt eine große Rolle in diesem Lande, das freiwillig fromm ist. Protestanten gibt es kaum — wenn man ‹die Stadt› oder ‹das Dorf› sehen will, so braucht man sich nur nach der Sonntagsmesse vor die Kirchentür zu stellen. Da strömen sie denn alle heraus. Aber gar nicht in bunter Landestracht, romantisch, trutzig, wie aus dem Roman. Die städtische Kleidung überwiegt; die Bauern tragen ihre schwarze Bluse wohl auf dem Viehmarkt, aber nicht am Sonntag, und nur das ‹béret› trägt jeder. Das ist eine runde Mütze, ohne Rand, ohne Schirm, sie sieht aus wie ein Eisbeutel aus Tuch, mit einem kleinen Zippelchen oben drauf, manche pariser Kinder tragen etwas ganz Ähnliches, und viele Autofahrer. Bergstiefel sieht man kaum — die ‹espadrilles› sind weiße Sandalen, den Strandschuhen nicht unähnlich, der Fuß geht in diesen dünnen Tuchüberzügen außerordentlich sicher, und an die Steinchen gewöhnt man sich rasch.

Aber man mag sich noch so oft vor die Kirchentür stellen: eine vollständige baskische Sippe wird man nicht zu sehen bekommen. Einer fehlt immer. Und der ist in Amerika.

Die Auswanderung ist in der Tat sehr stark. Die Basken sind gute und erfahrene Viehzüchter, und man muß sich diese Auswanderung ja nicht als ein Notventil gedrückten Proletariats vorstellen. Freie Bauern gehen hinüber, um Geld zu machen: nach Kalifornien, um Hammel zu züchten; nach Argentinien zu den Rindern und die Minorität nach Chile, um Handel zu treiben. Es sind hauptsächlich die jüngern Söhne, die auswandern, die, die nicht erben und die im eignen Lande nicht in fremde Dienste treten wollen. Drüben finden alle sofort Anschluß: einen Onkel, einen Freund, einen Bruder. Und das Allermerkwürdigste ist: sie kommen alle zurück. Sie sparen in Amerika das Geld, das sie in den langen, einsamen Weidemonaten nicht ausgeben können und nicht ausgeben wollen — sie kommen als ältere Leute zurück mit durchaus beachtlichem Vermögen, das heute, der Valuta wegen, größer ist als vor dem Kriege; viele haben zu Hause eine, die auf sie wartet und nicht umsonst wartet. «Les Américains» heißen die Zurückgekehrten, und man zeigt mit Stolz ihre hübschen Landhäuser. Es sind zielbewußte Leute.

Was tun nun diese baskischen Bauern abends und am Sonntag, wenn sie nicht arbeiten?

Als ich nach Saint-Jean-Pied-de-Port kam, klebte an allen Ecken ein blauweißes Plakat: Morgen, Sonntag:

LA PELOTE

La Pelote ist für den Basken, was für den deutschen Stammtischler der Skat, für den Spanier der Stierkampf, für den Franzosen das Manille-Spiel: Leib- und Magenzweck seines Hierseins. «Man sollte die Basken in einem Turm bei Silber und Gold konservieren!» sagte eines Tages ein Bewunderer des Landes. «Ja», erwiderte ein Baske. «Aber es muß ein Pelotenspiel im Turm geben!» Ein Ballspiel — aber was für eins!

Im kleinsten Dorf steht ‹le fronton›: eine viereckige graue Steinmauer, sie steht frei, oben ist sie zierlich geschwungen, davor ein freier Platz. Auf dem springen die Spieler umher, die ‹pelotari›, sie schlagen, entweder mit der Faust oder mit der chistéra, einem schnabelartigen, gehöhlten Schläger, den kleinen steinharten Ball an die Mauer, von der er mit scharfer Wucht zurückspringt. Es spielen vier oder sechs Mann: zwei oder drei auf jeder Partei. Es wird abwechselnd geschlagen: Partei A gibt, der Ball springt zurück, Partei B hat ihn aufzufangen und zurückzuschleudern, wiederum A und so weiter. Die Schärfe, mit der sie schlagen, wird nur noch von der Behendigkeit übertroffen, mit der sie den kleinen, fliegenden, grauen Punkt auffangen und zurückschleudern. Die Anstrengung für den ganzen Körper ist sehr groß: das Spiel ist Tanz, Sport, Athletik und Kopfarbeit in einem. Eine Pelote —? Hin.

Am Sonntagvormittag steckten alle pelotari in der Kirche. Ein bekannter Spieler war angekündigt, Léon Dougaïtz; eine begehrockte und uniformierte Sportkommission war auch anwesend, mit einem richtigen General. (Es kann aber auch ein Feldwebel gewesen sein — ich kenne mich in diesem Klan nicht so aus.) Die kleine Kirche war gedrückt voll, unten die Frauen, oben auf den Galerien brummten und sangen die Männer. Ein junger Geistlicher betritt die Kanzel. Er spricht über ...? Johannes? Matthäus? Markus? Er spricht über die Pelote von heute nachmittag. Sein leichter Versuch, diesen Sport mit Mystik zu umkleiden, mißlingt: es ist einfach ein ziemlich geschickt gesungenes Preislied auf ‹uns Basken›. Eine Masse kann man gar nicht deutlich genug loben: aber da ist schon jener kleine fatale Funke von zu genauer Kenntnis über sich selbst. «Wenn ein Fremder heute in die Kirche käme, so würde ich ihm sagen: Sieh dir diese Ballspieler an, den Kern unseres Volkstums ...» Schon faul. Das sicherste Zeichen dafür, daß mit einem Volksgebrauch etwas nicht in Ordnung ist, sind Lehrer- und Pfarrervereinigungen zu seiner Konservierung. Niemand tut etwas für den Gebrauch von Tinte, und einen Verein zur Erhaltung des weichen Umlegekragens gibt es nicht. Nur Sachen, die sich nicht von selbst verstehen, werden so hallend betont. Der Prediger lobt also seine Ballspieler — und das ist durchaus keine Entweihung des Gottesdienstes: gibt es doch viele baskische Äbte und Vikare, die selber mitspielen. Mit hochgerafften Soutanen springen sie umher und sind nicht einmal die schlechtesten beim Spiel. Wie ja überhaupt der katholische Geistliche dem Volk viel näher steht als der fast stets etwas säuerlich reservierte protestantische Pfarrer. Katholische Kirchen sind immer geöffnet, protestantische nur sonntags. Die Geistlichen auch. Und so predigt eben dieser über das Ballspiel. Wohlwollend hält er die Hände darüber hin; denn was die Kirche nicht verhindern kann, das pflegt sie wenigstens zu segnen.

Chorgesang, Schluß, alles strömt auf die Gasse.

Mittags gehe ich ein bißchen durch die Stadt. Saint-Jean-Pied-de-Port liegt hügelig-befestigt; was außerhalb der alten Fortifikation steht, ist hübsch, aber belanglos. Eine schnurgerade, grüne Allee führt auf die Berge zu. Aus dem Hause des Notars perlt Mozart. Das Wetter ist schön und still.

Das ist der Friedhof — da stehen die eigenartig geformten Grabsteine: auf niedrigem Fuß eine runde dicke Scheibe. Schrift und Verzierung wirken in ihrer Verwitterung wie Runen. Auch das Hakenkreuz kann man in baskischen Inschriften finden — gewiß ein schönes Zeichen für seine Popularität. (Wohl selten ist ein geschichtliches Symbol schmutziger mißbraucht worden.) Und welch merkwürdige Namen auf den Steinen stehen! Maria Ladeveze, Landerreiche Gabriel, Kurutze Hunen — —

Hier in der engen krummen Straße, die so bergan steigt, liegt ein Haus, in dessen Keller war einst das Gefängnis, in das die Bischöfe ihre besten Feinde stecken ließen. Ein hoher, fast dunkler Raum — ein paar Halseisen hängen noch an den Wänden. Ein Kabuff ist abgeteilt — das ist völlig schwarz und ohne jede Luftzufuhr, mit einer dicken Holztür. Da saßen die zum Tode Verurteilten, lange Wochen, und warteten auf ihre Hinrichtung.

Aber es ist unmöglich, irgendwo auf der Welt ein Gefängnis zu sehen, ohne daran zu denken, was deutsche Richter mit politischen Kämpfern treiben und treiben lassen; wie bei uns gefoltert wird, körperlich und unkörperlich; wie Angeklagte in Deutschland vor Gericht behandelt werden.

Oben auf dem Hügel liegt das Fort. Das ist ein alter Kasten mit Zugbrücke und stillem, weißem Hof, in dem das Gras wächst. Nur ein alter Arbeiter wohnt noch da. Aber es sieht alles so reinlich aus und nur wenig zerfallen — und man liest Inschriften an allen Türen und Plakate in den Stuben ... was ist das? Hier in der Zitadelle staken im Kriege ungefähr fünfhundert deutsche Kriegsgefangene, aber weil Fluchtversuche vorkamen, fünf, sechs, zur nahen spanischen Grenze: so wurden sie bald wegtransportiert. Nach ihnen zog ein französisches Strafbataillon ein, ‹des fortes têtes›, besonders widerspenstige Leute, die von einem Loch ins andere flogen. Ich sehe ihre engen Steinzellen, die sie sich selbst gebaut haben, es muß eine böse zweite Garnitur gewesen sein. Der Schullehrer hat sie nie gesehen und erzählt noch lachend von ihnen: tätowiert waren sie wohl fast alle, aber einer hatte sich seinen Kriegswahlspruch: MERDE auf die Stirn einbrennen lassen, und wenn ihm ein Caporal oder ein höheres Tier einen Befehl gab, der ihm nicht paßte, so schob er einfach seine Kappe hoch, daß die Stirn freilag, und der andre konnte ihm so von den Gesichtszügen ablesen, was er zu sagen hatte. Man kann sich dem nur vollinhaltlich anschließen.

Nachmittags um vier Uhr steigt die Pelote. Ausverkauft. Kein Wunder in einem Lande, wo an jedem vierten Haus zu lesen steht: Défense de jouer à la pelote! — denn keine Mauerwand bleibt von den Jungen verschont, die einmal Matadore des Landesspiels werden wollen. Der junge Geistliche, der gepredigt hat, sitzt bei den Öppersten, die Sportkommission ist auch da. Zum Glück ist die Pelote noch überall mehr Spiel als Sport. Es gibt allerdings schon Vereinigungen mit Kommissionssitzungen und Komitees, mit Disqualifikationen und Jahreskongressen — aber das Publikum liebt das Spiel, das Spiel in der frischen Luft, sein Spiel, und schert sich den Teufel um den lächerlichen Kram der Organisation. Jede Zeit hat ihren Hanswurst: der unsre blickt mit gefurchter Stirn und düstern Brauen auf spielende Leute und legt sich und denen eine Bedeutung bei, die er mit ‹Hebung der Pferdezucht›, ‹Ertüchtigung der Jugend›, ‹Disziplinierung des Geistes› und andern schönen Sachen umkleidet. Nichts ist alberner als dieser von Brillen und glattrasierten Aktuaren präparierte Sport, bei dem die Ausschußsitzung das Wichtigste ist. Soweit ist es da unten noch nicht.

Die beiden Parteien treten an. Zwei spanische Basken: ein Kleiner und ein Langer, und auf der andern Seite Léon Dougaïtz, der Franzose, mit Partner. Der Mann sieht aus wie ein Maurerpolier, er hat einen unternehmenden, weichen Schnurrbart, trägt weißes Hemd, Espadrillen, aber wie alle diese Spieler kein béret. Sein Partner ist ein stämmiger junger Mensch. Es wird ohne chistéra, mit den bloßen Händen, geschlagen. Die Spieler treiben, um die Gelenke zu ölen, die ersten Bälle an die Mauer. Anfangen? Anfangen.

Eine Kapelle spielt. Léon gibt. Er steht mit der Nase zur Mauer, einen Meter von mir entfernt, und schlägt den kleinen Ball mit einer unbegreiflichen Wucht an den Stein. Der Ball flitzt zurück, hinten wird aufgepaßt, sie boxen ihn vor. Und nun spielen sie.

Sie springen vor und zurück, manchmal bewegen sie sich kaum, und besonders Léon, der vorn spielt, scheint gar nicht aufzupassen, wann der Ball kommt. Daß er ihn trifft, darum ist ihm wohl nie bange — aber ob der Schlag auch kräftig genug sein wird? Der Schlag kann einen Ochsen töten — es wird so leicht, so elegant geschlagen. Sie tragen keinen Schutz an ihren Händen.

Das Publikum paßt auf wie die Schießhunde. Wenn der Ball von hinten nach vorn fliegt, drehen sich alle Gesichter mit genau der gleichen Wendung nach vorn: es sieht aus, als wären alle diese Köpfe auf Stöcke gesetzt und von einem Mechanismus bewegt. Sie kritisieren sehr genau, und ein klein bißchen Lokaleitelkeit ist wohl auch im Spiel. Neulich haben die Spanier gewonnen — wird's Léon ihnen geben? Léon gibt's ihnen. Dabei ist er keine Kanone, sondern nur gute Feldartillerie —, aber der einzige, der mit Kopf spielt. «Bravo, Léon —!» Sein Gesicht bleibt glatt und gleichgültig, sein Hemd ist naß, der Schweiß hat den groben Stoff in durchsichtige Seide verwandelt, ein Schuh ist durchgestoßen und wird unter allgemeinem Hallo ersetzt ... weiter, weiter!

Das Publikum bildet eine schöne Einheit, es sind wohl wenig Fremde darunter. Man kennt sich, man lacht sich an, drei Freunde, ein Dicker in der Mitte, sitzen Arm in Arm und sehen einer feinen Dame, die gewiß hoch zu Automobil hergekommen ist, ironisch-bewundernd nach. Männer untereinander sind eine harmlose Gesellschaft. Ein Mönch von Grützner steht da: ein dicker Bauer mit einer Knubbelnase, hochrot, ein agiler, sanguinischer Alter. Er ist über irgendeine Sache im Spiel furchtbar aufgeregt und wirft abwechselnd die Hände über dem Kopf zusammen oder seine Mütze unter Geschrei in die Luft. Er hopst und tanzt aufgeregt auf seinem Platz und ist Feuer und Flamme. Es ist aber auch ganz schrecklich, was da vorgeht! Die Spanier holen ihren Verlust ein —! Das darf nicht sein! Nein! Pause.

Die Spieler bekommen Wein zu trinken und schwitzen zum Davonschwimmen. Der Mönchs-Bauer hat sich langsam beruhigt, und der Dicke unterhält sich mit Freunden über acht Bänke hinüber.

Und bevor es wieder anfängt, hat die Kapelle ein Lied intoniert, eins, das alle mitsingen, eins von den Liedern, von denen man sofort spürt: dies ist viel mehr als ein Schlager, das ist ein Volkslied. Sie wiegen sich im Sitzen auf ihren Plätzen, viele summen nur mit, wie man etwas summt, von dem es nicht erst lohnt, die Worte noch auszusprechen. Sie summen gewissermaßen die Worte. Da strahlt die buttergelbe Spätnachmittagssonne durchs Gebüsch und über die hohen Bäume, der Himmel ist blitzblau, die Kapelle bläst, gleich werden sie anfangen, zu spielen — und ich fühle: Dies ist einer von den Nachmittagen, der mitgedacht wird, wenn die Basken denken: Heimat! Dieses Glück, mit keinen Worten ausdrückbar, in nichts anderm bestehend als eben in der fünfhundertsten Wiederholung dessen, was schon die Väter und deren Väter Sonntag nachmittags getrieben haben — in nichts anderm als in einer Vereinigung, die nur zu Hause möglich ist: dieser Schein der Sonne und kein andrer, dieses Lied und die geschweifte Ballmauer, die vertrauten Bänke und die altvertrauten Scherze und Zurufe — das sind die Stunden, nach denen sich der Baske in Amerika sehnt, wenn er zurückdenkt: an den Ballplatz, die Pelote und an noch etwas: er wird Freunde auf der Welt haben, auch anderswo, gewiß. Er wird sie gern haben. Aber er wird nirgends, nirgends auf der ganzen Erde, noch einmal dieses Zusammengehörigkeitsgefühl haben wie hier, die Tuchfühlung, den tiefen Ruck im letzten Winkel der Herzgrube: Heimat.

Merkwürdig, wie eng dieses Heimatgefühl ist. Hier hat kein Staat die Finger und die Fahnen hereinzustecken — niemals meint man ihn, wenn so gefühlt wird. In Deutschland habe ich dieses Empfinden besonders in der frankfurter Gegend und in Hamburg angetroffen; auch die Berliner wollen es für sich in Anspruch nehmen. Otto Reutter, der verflossene Coupletsänger, der im letzten Hosenknopf mehr Witz und Humor hatte als heute ein ganzes Weincabaret mit garantiert exklusivem Publikum, Otto Reutter hat im Laufe seiner vierhundertachtundachtzig Couplets auch eines gesungen, das den Refrain hatte: «Da bin ich stolz, daß ich ein Deutscher bin!» — Und die siebzehnte Strophe dieses Liedes schilderte, wie er in einem feinen französischen Seebad abends auf dem Kai spaziert und sich plötzlich eine piekfeine Halbmondäne an ihn heranmacht.

> Die Kurkapelle spielt so ihre Weise,
> die Dame drängt sich sachte zu mir hin . . .
> «Na, Dickchen, auch aus Preußen —?» sagt sie leise.
> Da bin ich stolz, daß ich ein Deutscher bin —!

«Bravo, Léon —! Bravo, Léon —!» Léon hats gemacht. Die Spanier haben eins aufs Dach bekommen, aber man spendet ihnen ritterlichen Beifall. Alles trubelt durcheinander, keiner geht. Es wird noch getanzt.

Das Orchester setzt sich auf die Zuschauerbänke: ernste schnauzbärtige Männer, denen man solch einen Lärm gar nicht zutrauen möchte, und eine ‹xülüla› hat sich dazugetan, eine kleine gellende Flöte. Der Spielplatz ist jetzt frei. Und die Männer tanzen.

Diese ‹baskischen Sprünge› werden ausschließlich von Männern getanzt. Auf den baskischen Festen zu Mauléon im Jahre 1896 hat ein junges Mädchen mitgewirkt, und das ist eine Sensation gewesen. Da diese Tänzer hier nicht in Festkleidung — weiß mit roter Schärpe — sind, so nimmt sich der Tanz absonderlich genug aus. Sie bilden einen Kreis und tanzen, jeder für sich. Ein Dicker walzt da sein Fett auf und ab, daß einem himmelangst wird, ich zum Beispiel sehe Schlaganfälle nur ungern. Ein Junge tanzt entzückend, er hält den Oberkörper ganz still und tanzt so leicht! Bald dreht sich der Kreis links, bald rechts herum, sie berühren sich aber nicht mit den Händen, sie tanzen ganz allein. Beifall. Bis —! Bis.

Darauf: Fandango. Den tanzen, immer ohne sich anzufassen, zwei kleine Gruppen, aus zwei Männern bestehend.

Aber nun bleiben die Männer nicht allein. Zwei Spanierinnen, die hier zu Besuch sind, haben sich dazu gesellt und tanzen den Fandango. Auf einmal wird klar, was der Tanz eigentlich ist und bedeutet; er bekommt Farbe und hat offenbar einen weit, weit entfernten Verwandten bei den Mauren: den Bauchtanz. Aber die jungen Mädchen tanzen so diskret, sie schnipsen mit den Fingern, weil niemand Kastagnetten hat, sie wenden sich und drehen sich, schneller, schneller ... Die Spanierinnen haben ihren Spezialbeifall. Die jungen Herren ziehen einen sauren Mund: das ist eine unehrliche Konkurrenz. Mit Röcken ... Und das Ganze von vorn.

Nach jeder Pelote wird getanzt — das ist so. Und ebenso traditionell sind die beiden Männer, die das Volk dabei in allen Pausen ansingen: die Improvisatoren. Sie sind immer zu zweien: und es ist stets eine Art Sängerkrieg, den sie miteinander haben. Besingt der eine ‹Die Freuden des Junggesellen›, so der andre ‹Die Freuden des Ehemannes›; ‹Automobil und Ochsenkarren› — ‹Meer und Land› — ‹Wasser und Wein› — ‹Sandale und Holzschuh›, das sind herkömmliche Themen. Herkömmlich auch, daß man sie lange bitten muß, anzufangen — sie zieren sich, lange. Dann aber hören sie nie wieder auf. Sie begrüßen an diesem Nachmittag erst alle Erschienenen, werden heftig belacht und beklatscht und treten nach jedem Tanz aufs neue in die Mitte. Sie heben beim Vortrag die Arme, ihr Gesang ist stets ein Rezitativ, und jede Strophe besteht aus vier langen Zeilen mit dem gleichen Endreim. Darauf sind sie besonders stolz — vier Reime! Die spanischen Basken nehmen die Zeile länger, bis zu zwanzig Silben — welch ein Atem! Als sie fertig sind, will ich mich mit den beiden unterhalten. Mit dem einen wird das nichts werden — er versteht nur baskisch. Der andre erklärt mir, was sie gesungen haben. Er sagt, es gehöre viel Routine und Schlagfertigkeit dazu, und Nachfolger gebe es wenig. Rostand habe ihn noch gehört und sei voller Bewunderung für seine Reimfertigkeit gewesen. «Ist das nun ein scharfer, witzgespickter Streit, den ihr da habt?» frage ich. «Il faut toujours respecter l'autre», sagt er. Und dann gehen alle Abendbrot essen.

Sie essen nicht schlecht. Sie trinken einen kräftigen, etwas säuerlichen Wein; auch den Wein von Jurançon, der aus der Gegend von Pau kommt, findet man überall im Lande, er ist gut und mild. Auf dem Markt und unterwegs trinken die Bauern und Hirten aus Lederflaschen, kleinen Weinsäcken, die den Wein schön frisch halten.

Abends ist Ball auf dem Marktplatz. Er ist festlich mit Lampions beleuchtet, und bald rutscht und schleift alles, besonders unter einer dunklen Baumreihe. Wo ist die Grazie der Kreistänzer geblieben? Dieselben jungen Leute, die eben noch so hübsch ihre Landestänze getanzt haben, anspruchslos, ohne die leiseste Pose, tanzen jetzt Foxtrott und Twostep, und auf einmal ist alles vorbei. Das sind gar keine jungen Bauern mehr — das sind Arbeiter aus der Vorstadt, die verrutschte Kopie nimmt ihnen alles und gibt ihnen nichts. Ich habe einmal im Holsteinischen Bauernburschen und Bauernmädchen moderne Tänze tanzen sehen — ihre schweren Füße bumsten auf den Boden, und ihre Grazie glich der junger Kälber. Es war zum Gotterbarmen. Etwas Ähnliches geht auch hier vor. Denn das, was da herankommt, ist unentrinnbar. Die weinerlichsten Schilderer der baskischen Eigenart müssen zugeben, in jedem Buch dreimal: es verschwindet! Alles das verschwindet. Sprache, Eigenart, Sitten und Gebräuche, Aberglaube — denn man mache uns doch ja nicht weis, daß sich dergleichen bei einer so umwälzenden Umgestaltung der Erde erhalten kann! Ihr fahrt in der Stadt Untergrundbahn, und der tumbe Bauer soll ewig derselbe bleiben, ewig derselbe. Er wird euch was husten.

Immerhin vollzieht sich hier die Umwandlung leise, leise. Aber bei aller Erhaltung der Eigenart: als die Reblaus die Weinberge verwüstete, und die Amerikaner eine neue Pflanze auf den Markt brachten, da waren doch die konservativsten Basken dabei, die neue einzuführen. Chicago siegt — ihr könnt machen, was ihr wollt. Gute Nacht, Marktplatz.

Am nächsten Tag wimmelt er von Vieh. Welch eine Qual für das Vieh, so ein Markttag! Nein, ich bin nicht wehleidig, und sie werden ja auch geschlachtet — aber es ist doch ein Stück Arbeit, mit der sie sich den Tod erkaufen. Die Schweine während eines stundenlangen Marschs hinten mit einem Strick an die Wagen gebunden und furchtbaren Spektakel vollführend, immer mit jener Komik, die ein Schwein für unsere Augen auch im Sterben nicht verläßt; in der Sonne liegt eine Reihe Enten, sie klappen die Schnäbel auf und zu und gluckern nur noch leise, vor Durst, eine Kuh beleckt ihr Kälbchen, dem sie das Maul mit Stroh umwickelt haben, damit es jetzt nicht trinke. Die schreckhaften Schafe werden von den Käufern befühlt. Welch scharfe, feine Bauernköpfe! Welch gute Gesichter! Welch ruhiger, selbstbewußter Ausdruck in den Augen! Diese Leute versetzen einen in Wohlbehagen.

Mittag essen manche, die zum Markt gekommen sind, im Hotel. Das hat ein hohes Zimmer, mit einer großblumigen, hellen Tapete — und die schwarzrockigen Bauern heben sich scharf von der Wand ab. Sie sitzen und essen, gut und reichlich und nicht zu schnell; ein Violinspieler kommt und geigt ihnen etwas vor, vielleicht ein Bauer, der ins Unglück geraten ist, sein Kind sammelt mit dem Teller und bekommt seine Sous. Am Ecktisch sitzen Majors. Pensionierte Offiziere scheinen auf der ganzen Welt gleich zu sein. Alle haben sie diese anständige, etwas verblühte Frau, die unschöne, eckige Tochter, und Papa bestellt so laut Käse, als ob er eine Brigade kommandiere. Aber dieser ist harmlos und brav und hebt nur dann und wann den quadratischen Soldatenschädel, um nach dem Rechten zu sehen.

Draußen geht ein Seminarist vorbei. Man hat ihm lateinische Gebete beigebracht, die er auswendig hersagen kann, ohne sie zu verstehen, er trägt sein Gebetbuch unter dem Arm.

Heute hat er die Konkurrenz nicht mehr zu befürchten, die seinen Vorfahren so viel Mühe gemacht hat: den Jansenismus, der hier geboren ist. Die Pyrenäen haben religiöse Phänomene in Fülle hervorgebracht: der Spanier Loyola hat auf der spanischen Seite sein erstes Haus gebaut, und man weiß, was daraus hervorgegangen ist. Und ehemals waren die Basken in Religionssachen ein recht kriegerisches Volk: die Abgesandten des Bischofs von Oloron, eines der ersten Calvinisten der Gegend, wurden in Mauléon zunächst mit Eseln umritten, und als der Alte selbst kam, um den Schimpf zu rächen, schlugen sie ihn mit einer Hacke tot.

Das mit dem erschlagenen Bischof aus Oloron ist kein Einzelfall. Die mittelalterlichen Stadt- und Landfehden waren hier, wie überall, von großer Grausamkeit. Da haben sie einmal an die sechs oder sieben Basken, die aufgemuckt hatten, an die Adourbrücke in Bayonne gebunden, bei Ebbe, und die haben warten dürfen, bis die Flut zu ihnen hochstieg. Es waren Vater und Sohn darunter, und das ganze Volk stand am Ufer und wartete auf das herrliche Schauspiel. Den Sohn faßte es zuerst; er gurgelte schon, da beschimpfte der Vater die Henker. Sie warfen ihm das linke Auge mit einem Stein aus, aber die Flut kühlte das rasch sowie das übrige.

Da am Brunnen haben zwei Männer einen großen Disput. Ob das Baskische schön ist, kann ich nicht beurteilen. Es klingt nicht schön und nicht häßlich. Seine Liebhaber und besonders die baskischen Schriftsteller selbst überschätzen natürlich die ihm innewohnende Poesie, die wie jede Sprachpoesie subjektiv empfunden wird. Einer erzählt, wie viele Gedichte sich mit der Jagd auf Holztauben beschäftigen. Holztaube heißt auf baskisch: usua. Der Baske setzt hinzu: «Dieses Wort ‹Holztaube› besagt wenig. Um die ganze Poesie von ‹usua› auszukosten, muß man...» Gar nichts natürlich. Diese Lokalverzücktheit, ehrlich und begreiflich, erinnert mich immer an die Vortragenden in den deutschen Konzertsälen, die fremde Volkslieder vorsingen und vorher, sich leicht niedlich machend, den Inhalt auf deutsch erzählen. «Das Mädchen kommt morgens an den Brunnen und sagt: O Brunnen! Wie läufst du doch so schön, du guter Brunnen! Wo aber ist mein Geliebter hingelaufen? Weißt du das vielleicht? Wenn du ihn triffst, du guter Brunnen, dann grüß ihn doch von mir!» Des freut sich das Parkett

— und man ist ganz verwundert, wenn nachher ein reizendes kleines Lied aufsteigt, bei dem es einem vollständig gleichgültig ist, ob der Brunnen plätschert oder nicht, und dessen Rhythmus und Farbe schon das ihrige tun. Volkspoesie kann man nicht übertragen. Man kann sie bestenfalls nachschaffen.

Nicht nur an der Sprache merkt man, daß man in einem besonderen Winkel Frankreichs ist. «Bei Gott!» will die Hotelfrau zu mir sagen, und um das noch mehr zu bekräftigen, hebt sie die rechte Faust über den Scheitel, der kurze Unterarm liegt nahe am Kopf. Ich frage später nach dieser wilden Tomahawk-Geste. Es sind die baskischen Schwurfinger: «Bei Gott...!» Und nun weiß ich, daß sie gelogen hat.

Sie gelten für nicht sehr zuverlässig, die Basken, und vielleicht trügt der erste angenehme Eindruck. «Die Leute in Bayonne», sagte mir einer in, aber nicht aus Bayonne, «sind liebenswürdig, freundlich und falsch wie Galgenholz.» Nun, das sind Urteile ... Auch andre sind nicht gut auf sie zu sprechen und sagen ihnen eine Habsucht nach, die ich nicht zu spüren bekommen habe.

Wie sieht ein Volk seine Stämme an? Für die französische Salonliteratur ist das Baskenland, wie übrigens auch Andorra, eine herrliche Gelegenheit zu unkontrollierbarer Romantik. Pierre Lotis berühmter ‹Ramuntcho› (224. Auflage) ist eine parfümierte Sache, die nach sehr gutem Feldblumenparfum duftet — aber eben nach Parfum, und nicht nach Feldblumen. Merkwürdig: mäßige Schriftsteller behandeln den Bauer ganz leicht von oben herunter, mit liebevollem Wohlwollen — ‹Machs gut, braver Mann!› — oder sie packen in die Bauernseele einen Klumpen Mysterium hinein, der da gar nichts zu suchen und gewiß nichts zu finden hat. Man hat manchmal das Gefühl, als habe sich Loti alle landesüblichen Ausdrücke des Baskischen auf einen Zettel notiert und habe nun eine seiner Liebesgeschichten zur Abwechslung in dieses Kostüm gesteckt. Auch ist bei ihm die wilde Gebirgsleidenschaft diskret gemäßigt, so daß sie noch in den besten Salons genossen werden kann. Und wenn der Held auch bis an den Hals im Kummer steckt: immer edel, immer edel! Ich glaube, solche Romane sind mehr für den Hersteller als für das geschilderte Land charakteristisch.

Eine Frau passiert die Straße, mit der ‹herrade› auf dem Kopf, dem gehenkelten, konisch nach oben sich verjüngenden Wasserkrug. In den französischen Nachbarprovinzen kennt man das nicht: Krüge auf dem Kopf zu tragen, das ist eine baskische Sitte.

Baskische Sitten ... Eine ist in ganz Frankreich bekannt; das erste Wort, das einem entgegentönt, wenn man von den Basken spricht, heißt: Schmuggler.

Im Museum zu Bayonne hängt ein entzückender alter Druck: ‹Der Pyrenäen-Schmuggler›. Da läuft er, mit einem Sack auf den Schultern und einer Flinte in der Hand, durchs Gebirge, so ein richtiges Gebirge, wie es auf Drucken zu sehen ist, die in schweizer Hotelzimmern hängen, und im Hintergrund zeigen ihn sich zwei Gendarmen, den gefährlichen Mann. Ach, das ist lange vorbei ... Es lohnt heute nicht mehr.

Ich hatte die Absicht, mit einem Gendarmeriekapitän die Zollposten abzugehen — aber als ich sah, wie er sein Auto ankurbelte, um abzufahren, da war es mit meiner Lust vorbei. Schmuggel —? Die Valuta hat ihn zerstört. Die Vorbedingungen waren glänzend. Tabak und Alkohol ... In Frankreich und Spanien hatten die Kaufleute das allergrößte Interesse daran, die Preise durch den Zoll hochzuhalten und die natürliche Entwicklung zu hemmen, wie ja überall — und auf beiden Seiten der Grenzen saßen und sitzen Leute, die dieselbe Sprache sprechen, die ihre Zugehörigkeit zu verschiedenen Staaten hauptsächlich empfinden, wenn sie Steuern zahlen und dienen müssen, und die doch zusammengehören. Es wurde unsagbar geschmuggelt. Die Gendarmen wußten das, aber es war ein anständiger Kampf. Auf beiden Seiten wurde damals unter keinen Umständen geschossen: wer erwischt wurde, zahlte oder brummte — aber deshalb keine Feindschaft nicht. Du bist Schmuggler — das ist dein Beruf; und ich bin Gendarm — das ist meiner. Die Mühe war groß und der Verdienst klein. Meist wurden nicht einmal Maultiere benutzt, die ja noch auf den abenteuerlichsten Wegen klettern können, sondern die Schmuggler trugen Sack und Pack auf dem Buckel — und welche Wege! Nachts, im Regen, die steilsten Abhänge hinauf und die bösesten Geröllhalden wieder herunter — und das alles für ein paar Francs! Schmuggeln galt immer als ein durchaus ehrenhafter Beruf, jeder wußte, daß sich der andre damit befaßte, und keiner hätte niemals verraten. Aber heute ...

Die französische Inflation ist sehr langsam gekommen, und die Spanier haben Zeit gehabt, zu merken, was ihre Pesetas in Frankreich wert sind. Sie wissen das zum großen Leidwesen der Basken sehr genau, und wenn man die nach ihrem alten Handwerk befragt, so hört man Klagen, gegen die die Stoßseufzer der berliner Pleitevögel eitel Wonnegeschrei sind. «Es ist nichts mehr! Kein Geschäft! Die Spanier bezahlen nichts! Was sollen wir denn noch schmuggeln ...!» Es ist herzzerreißend.

Vorbei die Zeiten, wo die Schmiere stehenden Kinder und Frauen beim Nahen des Gendarmen den Schmugglern: «Otsoa! Otsoa! Der Wolf! Der Wolf!» zuriefen; der Wolf ist Vegetarier geworden, weil es keine Schafe mehr gibt. Vorbei Romantik, zerrissenes Abendgewölk, durch das der bleiche Mond die heimlichen Contrebandiers bescheint, Schmugglerliebe und Schmugglertod ... vorbei.

Vor allem deshalb, weil ja heute keinem vernünftigen Menschen die Grenze noch eine solche herzklopfenverursachende Ehrfurcht einflößt. Wir wissen doch. Wir wissen doch, wer da für wen wacht. Das Getreide soll nicht daher kommen, wo es billiger ist, die Klaviere nicht daher, wo man besser versteht, sie zu machen — künstlich hochgehalten werden Industrie, Kapital und Erwerbsmöglichkeit. Ein wirtschaftlicher Vorgang. Streicht eure lächerlichen Grenzpfähle doch nicht so feierlich an! Setzt drauf: Müllers Fettvaseline ist die beste! Das käme der Wahrheit schon wesentlich näher.

Und nun muß ich ja wohl abfahren.

Fort von der kleinen Bergstadt im Grünen, hinaus auf die Landstraßen, wo mir die Ochsenkarren begegnen werden, mit den sorgfältig in bunte Leinentücher eingewickelten Tieren, die schweren Köpfe durch ein Netz gegen die Fliegen verhängt. Ich habe nie gesehen, daß sie geschlagen werden. Nur die Esel haben hier viel Leid, Kummer und Stockprügel auszustehen. Die alten Karren knarren in den Radachsen, das quietscht und kreischt — wie ein Baske einmal erklärt hat: «Damit sich die Ochsen unterwegs nicht so langweilen.» Gemüt ist eine schöne Sache. Also fort. Aber wie —?

Die gesamten Pyrenäen werden von einer großen Automobilstraße durchzogen, die das weiter im Norden liegende Eisenbahnnetz aufs glücklichste ergänzt. Denn eine Automobillinie ist biegsamer als die Eisenbahn, kann aussetzen, wenn kein Bedarf vorliegt, ist leichter zu amortisieren ... Merkwürdig, wie diese Zeit überall, hier und in Schottland und in der Schweiz, die alte Postkutschentradition wieder aufnimmt. Der Herr Schwager hat aber ölgeschwärzte Finger, sein Posthorn hupt, und auf dem offnen Wagen sitzen die Engländer und, was noch schlimmer ist, ihre Frauen, und lassen an ihren kalten Fischaugen die ihnen zustehenden Pyrenäen vorübergleiten. Es gibt da so eine Art Rundreisebillett, von Bayonne bis Perpignan — zweimal darf man unterbrechen —, sonst aber werden sie mitleidslos durch Busch, Feld, Wald, Klamm und Tag gejagt, an Abgründen vorüber, über Brücken und neben den schäumenden Bächen her, ‹gaves› genannt, immer weiter, immer weiter — bis alles aussteigen muß. Das ist den Engländern recht. Sie nehmen es auf sich, sie müssen auch das gesehen haben, und wenn die Engländer nun gar Amerikaner sind, dann kennt ihr landschaftlicher Stumpfsinn keine Grenzen. Ich habe neben welchen gesessen, denen hätte man nur den Kopf immerzu auf die Felsplatten schlagen mögen: «Hier! Sieh dir das an, du Trottel! Damit du wenigstens etwas von deinem Geld hast!» Er aber saß da und sah geradeaus, denn er hatte für geradeaus bezahlt. Menschenexport ist selten gut.

Mit so einem Postauto möchte ich wohl fahren. Sie nehmen wenig Gepäck mit, und man muß sich das einrichten, auch sind sie immer besetzt. Aber ‹on s'arrange›. Ich arrangiere mich wirklich und klettre brav und bieder zu den Leuten mit den großen Unterkiefern. Sie sitzen stumm da, sprechen in drei Fahrstunden vier Sätze; sie sind kalt ergriffen von der Landschaft, ich von ihnen — ich sitze vorn beim Chauffeur, das ist mein Lieblingsplatz. Man hat immer warme Füße, es riecht so schön nach Benzin und Natur, der Chauffeur erzählt Schwänke aus seinem Leben, und neben ihm ist ein kleiner Spiegel. In dem sehe ich hinten meine Amerikaner. Beinah vergesse ich die ganzen Pyrenäen — wenns so weitergeht, werde ich einen Führer schreiben: ‹*Anleitung zur Zucht von gut legenden Amerikanern*›. Ich kann mich gar nicht losreißen — ein grüner Schleier weht im Winde, die ausdruckslosen Fahrstuhlgesichter schwanken ein wenig in den Kurven ... herrlich. Wer jetzt nach hinten schießen könnte! Aber es ist Friede, wer wird denn schießen ... Und so fahren wir durch das Land der Basken.

LIEBER JAKOPP!

Haben wir dafür Schulter an Schulter so manches rumänische Nachtfest überstanden, daß du mir nie mehr schreibst —? Dafür mit Karlchen und einem richtigen Hund einen Nachmittagsschlaf zusammen abgezogen, so daß die Ordonnanzen, die hereinkamen, sich wunderten, einen dreiköpfigen Polizeikommissar im Bett liegen zu sehen? dafür Zuika, oder wie man diesen Pflaumenschnaps schreibt, getrunken, den Alten betrogen, Dienstreisen nach Sinaia geschunden, den guten, alten Mackensen überwacht, als er Craiova passierte — ich kam um eine Kleinigkeit zu spät und sah den ritterlichen Mann gerade abfahren — alles, damit du nie schreibst? Ich aber schreibe dir, weil du ein Oberregierungsrat und mir so sympathisch bist. Du hast kein rühmliches Ende genommen, ich habe dich studieren lassen, und jetzt regierst du im hamburger Kanalisationswesen ... aber ich schreibe dir doch.

In Mauléon war ich aus dem Pyrenäenauto gestiegen, und ich kletterte in der kleinen Stadt umher. Auf dem Marktplatz Kriegerdenkmal und Pelotenmauer, alte Bäume, ein schönes, stehengebliebnes Renaissancehaus und eine himmlische Stille. Vor dem Café die Provinzausgabe der Massary. Es war offenbar der Sündenengel des Ortes: die Frau des Cafétiers, eine mit den schwarzen Augen alles versprechende und mit dem Rest sicherlich nichts haltende jüngere Dame, die an das Wort jenes Engländers erinnerte: «Die Französinnen wirken so stark auf uns, weil sie zu sein scheinen, was die andern Frauen zu sein sich nicht getrauen.» Gut, daß Karlchen nicht da war — er hätte erst sie von der Seite angesehen, dann uns und hätte gesagt: «Na ... mit der würde ich gern mal ein Sätzchen reden!» Und dann hätte er ja wohl dringende Geschäfte im Ort gehabt, etwa seinen dort wohnenden Vetter besucht, und uns verlassen ... Karlchen war aber zum Glück nicht da, und so hatte man mich als Alleinherrscher. Wir wurden rasch intim, ich und sie; als der Mann nicht hinsah, zeigte sie mir sogar das Privé; Gott, man ist Weltmann.

Von Mauléon führt eine kleine Schnaufebahn nach Tardets.

«Tardets, Spiegel des Baskenlandes! Tardets, du unbekannter Winkel, der du nichts als Licht bist...» So Francis Jammes. Und er hat recht: Tardets ist wirklich hübsch.

Es war grade Markt, und die Bauernfrauen, manche bis zu acht Unterröcken stark, standen zwischen ihren Äpfelkiepen, saßen auf ihren Gemüsen und wühlten hinter ihren Budchen. Ein Kerl brüllt über sein Porzellan hin: man dachte, er rufe eine kleine Republik aus, er war ganz blaurot im Gesicht, und er schrie wie ein Marktschreier. Ich stieg in die Höhlung der dunkeln Zimmer — da war ein altväterliches, gemütliches Hotel, mit bauchigen Wasserkannen und wunder-, wunderlieblichen Bildern: «Japanische Heiden foltern christliche Missionare» — und von oben sah ich auf das Gewühl herunter, was ja zu den schönsten aller menschlichen Beschäftigungen gehört. Wir schrieben den 1. September.

Jakopp, ich glaube, es ruft dich einer. Du sollst mal nachsehen: er wäre in der Küche verstopft. Pust mal durch sein Wasserrohr. Hast du? Gut.

‹Les Gorges de Cacaoueta› — aber das war auf allen Karten verzeichnet, eine einwandfreie Sache. Die Schlucht von Cacaoueta... ‹Guide nécessaire› stand im Gebetbuch. Einen Führer! Haben wir nicht auch allein den Weg nach Hause gefunden, morgens früh um vier, mit Bindfaden immer einer an den andern gebunden, und Karlchen sang sein Lied von den zwölf Nonnen, und alle Milchkannen sprangen erschreckt beiseite? Waren wir selbständige Männer oder nicht? «Nächstdem erfordert sein hoher Beruf Mut in allen Dienstobliegenheiten ...» stand in deinen Kriegsartikeln. Ich brauche keinen Führer.

Ich sah noch im abendlichen Tardets zu, wie ein Pferd pediküirt wurde, hörte, wie sich vor allen Kneipen baskische Bauern die letzten Marktpreise in die Ohren riefen; vor dem Friseurladen saß die Friseurin und war so schrecklich schön und bunt angemalen, daß einem ganz schwül wurde . . .

Am nächsten Morgen, am Sedantage, ging ich auf der langen Straße, die von Tardets nach Licq-Athéry führt, bis ich an ein kleines Gasthaus kam, und da wohnte der Besitzer der Schlucht von Cacaoueta. Er hatte sie gepachtet, er hatte sie mit Geländern eingefaßt, den Wasserfall abgestaubt, ihm gehörte sie — nichts verständlicher, als daß man eine Eintrittskarte in die Natur zu lösen hatte. Zwei Frank fünfzig. Guten Morgen.

Eine kleine Stunde noch war der Weg karossabel, dann verlief er sich in den Steinen, und man mußte auf einer kleinen, einsamen Schienenspur entlangklettern, die jungfräulich dalag: kein Lokomotiverich fuhr über sie hin. Unten lag ein Stau-Becken, die Sonne färbte es hellgrün, das Wasser war wundervoll durchsichtig und klar. Nehmen wir an, Fischlein spielten auf seinem Grund. Ein Zigarrenkistendeckel, an einen Baum genagelt, mit einem stummen Pfeil. Ah — nicht was du denkst! Nein, das war wohl der Weg zur Schlucht. Vorbei an einer Hütte, in der eine Mama aus einer Töpfin trank und das Baby aus der Mama — durch ein ausgetrocknetes Flußbett hindurch, ein Hügel . . . und da öffnete sich die Schlucht.

Es war neun Uhr. Oben lag die helle Sonne auf den begrünten Höhen — hier unten war es schattig und kühl. Der Weg schlängelte sich an dem Gebirgsbach entlang, dann hörte jede Fußspur auf. Was nun? Nun mußte man klettern.

Ich kletterte eine halbe Stunde. Eine halbe Stunde ist lang, mitunter. Dann kam eine rostige Eisentür, die stand offen, von hier ab begann also die bezahlte Natur. Die Schlucht wurde immer schluchtiger, die Felsen immer felsiger, der Gebirgsbach immer wirbliger. Nun standen die Wände etwa zweihundert Meter hoch und in der Mitte ich. Wo war der Weg?

Was als solcher auf der Karte verzeichnet stand, war eine Art Untertassenrand, links der nackte Felsen, rechts der Brodelbach, manchmal umgekehrt. Beim Dahinwandeln hielt ich mich an dem nassen Stein fest, und weil ich ganz allein war, sprach ich mit mir und auch mit dem Stein, ich redete ihm gut zu, mich nicht ins Wasser zu stoßen, ich würde schon wieder herauskommen, so ein Affe! Er stieß auch nicht — aber manchmal setzte ich den Fuß auf eine Kante, das Sohlenleder glitt ein bißchen, und meine Eingeweide schoben sich ein ganz kleines Stückchen nach oben. Derart ging ich etwa zwei Kilometer, obgleich gehen nicht das richtige

Wort dafür ist. So ein Geschöpf aus dem Flachland wie du! Wie soll ich dir das beschreiben, auf welche Weise wir uns hier fortzubewegen hatten, meine Beine und ich...? Hast du einmal einen Mann seiltanzen sehen?

Alle fünfzig Meter hatten sie ein paar Bohlen über die ‹gave› gelegt, mit kümmerlichen und schwankenden Andeutungen einer Art Geländer. Ich schob mich hinüber, drei Meter unter mir gähnte der Abgrund. Manchmal wippten die Brücken so sonderbar, das hatte ich nicht gern, links glänzte der Wasserfall und rechts die Grotte, in die kletterte ich hinein, da standen weiße Sandsteinmänner und sahen mich an. Wie still war es hier! Draußen warf ich meinen Reiseführer fast absichtlich in den Bach — ich brauchte ihn nicht mehr.

Und nun hörte jeder Weg überhaupt auf. Ich hatte bis zur spanischen Grenze gehen wollen, heraus aus der Schlucht, und auf einem andern Weg wieder nach Tardets zurück, in das Großvaterhotel. Aber da war kein Weg. Keiner.

Ich stand da, mit der kleinen übriggebliebenen Karte, wie ein großer Heerführer: sehr wichtig, aber etwas ratlos. Und da tat ich etwas, weswegen ich dir diesen Brief schreibe.

Ich kletterte die Wände hinauf.

Ich dachte so:

Oben wird sich schon ein Ausweg finden, ich sehe besser, wo ich bin — auf! hinauf! Der grasige Abhang hatte eine Steigung von 91 Grad.

Erst ging es ja ganz gut; da standen Bäume, an denen man sich hinaufziehen konnte — aber das hörte streckenweise auf, ich trat fest auf den krümligen Boden, er rutschte fest weg, und ich hielt mich an der Luft. Das kann man nämlich. Vor wem spielt man eigentlich so ein Theater, wenn man allein ist? Immer wenn ich haarscharf am Hinunterrollen war, machte ich ein energisches und männliches Gesicht: Nur ruhig — nur ruhig — es wird ja gehen! Aber dann ließ das plötzlich nach, und ich sah aus, wie ich in Wirklichkeit aussah: rot wie ein Puter, furchtbar prustend und entsetzlich wütend. Ich hatte noch keinen entdeckt, der an der Sache schuld war, aber ich würde schon einen Dolchstoßer finden.

Der Schluchtenbesitzer wird schöne Augen machen, wenn er wiederkommt. Ich habe ihm die ganze Geschichte rettungslos ruiniert. Man mußte kreuz und quer klettern, und du mit deinen alten Wasserröhren kannst das nicht nachfühlen, du Plattlandkerl du! Einmal stand ich still und dachte: wenn jetzt Jakopp da wäre, würde er sofort den guten Wasserbach unten abfangen und eine Toilettenspülung aus ihm machen. Ich dachte mir es ganz genau aus, wie du hier anfangen würdest zu graben, und wie alle Bauern, anstatt wie jetzt nach hinten in die Tannen zu greifen, wenn sie sich im Walde wieder aufrichten, an einer Schnur ziehen könnten, und wozu das eigentlich gut sein sollte, zum Himmeldonnerwetter! Laß du deine Kanalisation laufen und uns Basken hier in Ruhe. Und dann stieg ich weiter.

Nach fünfundvierzig Minuten war ich so weit. Es war halb elf Uhr vormittags.

Jetzt saßest du in Hamburg und blättertest in deinen Akten, schön ausgeruht und in kühler Wäsche, denn sauber bist du. An der Wand hängt eine bunte Karte: Hamburg — mit allen Straßen und Wasserentnahmestellen, damit du im Bedarfsfalle gleich zum Neuen Wall laufen kannst, Nr. 17, zur Witwe Brenkemeyer: «Wer läßt denn hier so lange die Wasserleitung laufen! Das ist ja unerhört!» Administration muß sein.

Wenn du aber das Opernglas der Märchenprinzessin gehabt hättest, so hättest du mich zur gleichen Zeit sehen können.

Da saß ich. Da saß ich hoch im Grünen, ein armer Vogel auf einer Stange, die Füße gegen einen morschen Ast gestemmt, einen Zug von Leiden und Ergebung um die Nase. Herztätigkeit und Atmung beschleunigt, der Puls ging vor. Mein Bauch stieg auf und ab — ich lebte noch. Hinauf ging es nicht mehr und hinunter auch nicht.

Oben zogen die Wolken über mein Gefängnis. Von unten rauschte der Gebirgsbach, mein Gebirgsbach, den du nicht zu kanalisieren hast, und das Rauschen wurde immer leiser, immer leiser. Ich war so müde ... Zurück? Diesen ganzen übeln Weg mit den Schwankebrücken und den Klettersteinen zurück? Aber wie denn? Wie sollte ich hier herunterkommen?

Da war Hamburg: die Mädchen mit den strohblonden Zöpfen saßen grade artig auf den Bänken in ihrer Schule und sagten etwas im Chor auf; es war nach der großen Pause, und sie hatten Buttersemmelstimmen, weil keine Zeit zum Räuspern gewesen war. Zwei Schauerleute hatten einem feinen Herrn nachgesehen und murmelten in ihren Kautabak: «Wer is he denn? He hett ok bloß man 'n Mars ut twe Helften!», und bei dir klingelte das Telefon. Du logst eine herrliche Geschichte in die schwarze Muschel: leider, leider könntest du heute nicht zum Mittagessen in die ‹Harmonie› kommen, vielleicht nächste Woche ...? Und dabei erglänzte dein Gesicht in teuflischer Freude — denn auf der andern Seite sprach der böse Feind, und mit dieser Ablehnung hattest du ihn ordentlich angepflaumt. Und ich saß hier noch immer auf meiner Wand.

Ewig konnte ich da wohl nicht sitzenbleiben. Ich stand mit einem schweren Seufzer auf, fiel beinahe um und hielt mich an dem Ast, aber der wollte das nicht und sagte: knack — und da setzte ich mich wieder hin. Ich setzte mich ganz nonchalant hin, weil ich noch etwas müde war. Jetzt standest du auf und gingst in deinem glatten, ebenen Nichtstuerzimmer auf und ab. Die Wasserspülungen rauschten und schwollen, von dir aus konnten die Hamburger jetzt alle zugleich Pflaumen essen, deine Sache war in Ordnung. Ich erhob mich, leise, sehr, sehr vorsichtig — und zur gleichen Zeit versuchtest du vor lauter Lebensfreude zu pfeifen, etwas ganz und gar Abscheuliches. Denn du pfeifst, wie Karlchen reitet und wie ich schwimme — und das will etwas heißen. Und nun war ich völlig aufgestanden.

Mit irren Blicken sah ich mich um. Noch einmal machte ich den Versuch, vor einer unsichtbaren Reisegesellschaft so zu tun, als sei gar nichts, aber auch nicht das Geringste passiert — dann gab ich es auf und kletterte artig und bescheiden auf allen Vieren ein Stück herunter. Rrums — da rollte Schlucht dahin, für annähernd achtzig Francs Schlucht, das war unwiederbringlich verloren, ich würde es jedenfalls nicht wieder heraufbringen. Man mußte hier wohl etwas zur Seite klettern; wir Bergsteiger klettern manchmal zur Seite, aus technischen Gründen.

Und hier war nun eine Stelle, wo es keine Bäume mehr gab, und da vergaß ich meine Menschenwürde und setzte mich auf das Runde und fuhr recht schnell zu Tal, hundertfünfzig Meter, dahin, woher ich gekommen war. Unten kam ich richtig auf die Beine, stäubte mich etwas ab, nun hatte ich rostbraune Hände. Und ich wollte grade pfeifen, denn ich kann pfeifen, viel schöner als du, du alter Bedürfnismann, — da tat ich einen schweren Fall.

Grinse nicht über deine unschönen Züge mit der niedrigen Trinkerstirn! Ich fiel genau auf die Schienenbeine, auf alle beide — und am rechten Bein schwoll kindskopfgroß eine Beule auf. Andenken aus den Pyrenäen: ‹Zum Zeichen, daß ich dein gedacht, hab ich dir dieses mitgebracht...› Und dann marschierte ich die ganze Tonleiter zurück.

Ich habe es immer bedauert, daß du und Karlchen, daß ihr zwei beide nicht dabei wart. Ich sehe uns den wilden Bach entlangklimmen: du mutig, aber furchtbar schimpfend, Karlchen vor Freude mit den Zähnen fletschend, wenn einer einen Fehltritt tat — und von Zeit zu Zeit sagend: «Hier ist es etwas dünn —!» und ich mit der gemessenen Würde, die mich auszeichnet, wenns schief geht. Aber ihr seid ja nie da, wenn man euch braucht.

Da kamen alle Brücken noch einmal, alle glitschrigen Stellen, an denen mich der Wildbach von unten herauf ansah und sagte: «Na?

Wie ist es? Ein bißchen ins Wasser fallen?» — alle wackligen Geländer, alles kam noch einmal wieder. Einmal begegneten mir Menschen: ein Mann mit einem verbundnen Kopf (vielleicht machte er diese Tour schon zum zweitenmal), ein Mädchen und eine Frau von rund hundertzweiunddreißig Jahren, gewiß ein Zeichen für die Gefährlichkeit dieser Gebirgspartie. Guide nécessaire.

Ach, wer mich jetzt fotografiert hätte! Leise vor mich hin brabbelnd, tolpatschte ich dahin — und eine Wut im Leibe! Nie wieder Gebirge! Verdammt, warum war ich nicht an die See gefahren, an einen ganz und gar glatten Strand —! Die Felsen und die Bäume redete ich gar nicht mehr an, die waren Partei. Aber ich fragte meinen Bergstock, ob ich das vielleicht nötig gehabt hatte, in so eine gänzlich irrsinnige Schlucht hineinzuklettern, in eine ganz und gar fremde Schlucht. Cacaoueta! Was ist das überhaupt für ein Name! So heißt man nicht. Laßt mich nur hier herauskommen — ich will der Länge lang im Bett liegen, nie mehr aufstehen, überhaupt nie wieder in meinem ganzen Leben einen Fuß in so ein vertracktes Gebirge setzen . . .

Und dann kam die Gittertür, der Weg wurde immer glatter — und was das für ein Gefühl war, als ich wieder Wiesengrund unter den Füßen hatte . . .! Ich sah zurück und fand die Schlucht ganz passabel. Menschen sind so eingerichtet.

Ein Uhr. Jetzt kamen die Schulkinder in Hamburg aus den Klassen, du hattest noch schnell deinem Stubennachbar einen Akt zugeschrieben, den er heute nachmittag auf seinem Platz vorfinden würde, eine besonders knifflige und unangenehme Geschichte, und es gab gar keine Möglichkeit für ihn, sich die Sache vom Halse zu schaffen . . . Und jetzt gingen alle Leute mal eben frühstücken. Ein Rundstück wahm —

Der Weg stieg an, und eine Minute später lag ich platt auf dem Boden in der hellen Sonne. Er lebt! er ist da! es behielt ihn nicht.

Beinah —

Beinah, und die schönen Verse des verdrehten Konrad Weichberger waren anwendbar.

> Wirst du im Album einst entdecken
> mein Antlitz, rund vor Bier,
> dann sage: Wo mag der wohl stecken?
> Das war ein Freund von mir.

Lieber Jakopp, ich wünsche dir, daß du recht bald Senator wirst. Nur, damit ich einmal zu dir sagen kann: «Herr Senator! Hummel, Hummel!»

Was hast du darauf zu erwidern —? Dein lieber

Von der Terrasse der Place Royale in Pau über die Ebene zu sehen — auf die Gebirgskette der Pyrenäen: das ist wie eine Symphonie in A-Dur. Mit Graten und Spitzen, hohen Nasen und graden Linien, mit den geschwungnen Vorbergen steht weit die große Wand der Berge und davor die kerzengraden Pappeln. Vom Gebirge her weht der Wind. Das ist schön.

Drehe ich mich herum, so steht da, mit dem Rücken zu mir: Er. ‹Er› ist in Pau allemal Heinrich der Vierte. Hier ist er geboren, hier hat er gelebt. Das ist nun nicht einfach, zu einem fremden Fürsten in Beziehung zu treten. In der Schule haben wir ihn nur unter dem Kleingedruckten gelernt, er sitzt nicht so fest drin wie etwa Friedrich der Zweite, der heute unter die Räuber gefallen ist, oder wie Barbarossa, der sich nie rasieren ließ. Henri Quatre, Le Vert Galant, der Mann, der «Ventre-Saint-Gris!» rief, wenn es etwas zu fluchen gab — es dauert eine Weile, bis man «'n Morgen, Heinrich!» zu ihm sagt. Aber wenn es soweit ist, dann sagt man es nicht mehr.

Er war der Eduard der Siebente seiner Zeit, was eine Schmeichelei für den dicken Engländer bedeutet. Er hatte dessen Sinn und Freude fürs Wohlleben, die gleiche Verschlagenheit, Geschicklichkeit, Menschenkenntnis, verschmitzte Ruhe — und wieviel mehr! Das schillert in seinen Briefen, er verteilt Schmeicheleien wie Ringe, und niemand sieht in der ersten Freude nach, ob sie echt sind — er setzt alles durch, was er will, fast alles. Er liebt die Jagd, den guten Wein, eben den von Jurançon, und die Frauen. Um uns zu erklären, wie er die liebte, gibt es nur eine Vergleichsmöglichkeit: das ist d'Andrade als Don Juan. So einer war er. Er hatte einen Spitzbart, und unter dem Schnurrbart, der sich leicht kräuselte, dünne, kräftige Lippen, mit denen man lächeln, einen Wein abschmecken, küssen konnte. Die Totenmaske Friedrichs des Zweiten im Schloß zu Monbijou sagt: Ich will nicht mehr leben; ich bin hinüber. Die Totenmaske Heinrichs des Vierten im Schloß zu Pau sagt: Ich habe gelebt, und es war sehr schön zu leben; jetzt muß ich schlafen gehn. Und ein leiser Zug von Verachtung ist auch dabei. Sie haben ihn in Paris erstochen, er war siebenundfünfzig Jahre alt, ein Mann im besten Alter. Er war immer im besten Alter.

Wie haben sie ihn geliebt! Er war so schlau — er wollte geliebt werden, und sie liebten ihn. Er hatte keinen Krückstock, mit dem er herumwankte und schrie: «Wartet! Ich will euch mich lieben lehren!» Gott bewahre. Er lächelte, teilte Spitznamen und eine Gunst aus, die nicht einmal viel kostete, obgleich er so viel Geld ausgab … Die Rechnungslegung seines Hofes ist noch völlig erhalten, da gibt es keine Ausgabe, die nicht ihre Begründung hätte, und was für Begründungen! Die Damen erhielten Geld, Sänften, Pferde, Schmuck; einmal: «Für einen Freundschaftsdienst». Er muß die beiden Arten der Liebe gut gekannt haben.

Das Schloß ist restauriert, aber trotzdem gut erhalten. Es hängen da flandrische Gobelins, vor denen man gar nichts mehr sagt, und bestände nicht auch hier die verdammte Unsitte, Besucher während der Besichtigung zu entmündigen und unter Kuratel eines früheren Unteroffiziers zu stellen, der von Tuten und Blasen keine Ahnung hat, so fühlte man sich restlos glücklich. So aber treibt jener die Hammelherden unter Absingung eines törichten Rezitativs durch die Räume, und man hammelt traurig mit. Das hohe holzgeschnitzte Geburtsbett steht noch da, in dem Heinrichs Mutter mit dem Großvater sang, um den Schmerz der Wehen zu übertönen, mit Wein hat man den Kleinen abgerieben und genetzt, als er erschien. Es ist ihm sehr gut bekommen. Davon wußte der Hammelhirt nichts, aber ich erkannte das Bett nach den Bildern wieder, und wir waren sehr erfreut, uns endlich persönlich kennenzulernen.

Was die Wiege, eine große Schildkrötenschale, anlangt, so hat sich schon der Graf Pückler-Muskau halb krank über ihre Aufstellung geärgert. Er war im Jahre 1834 in Pau und schalt heftig über den Trödelbudengeschmack, mit dem das Schloß hergerichtet war. Nun, besser ist es damit heute schon, der Konservator ist ein sehr beschlagener und kenntnisreicher Mann, und wenn er noch seine Unteroffiziere abschaffte, so wäre alles gut. Die dicken Mauern, deren ganze Tiefe erst an den Fenstern sichtbar wird, die hohen Wände, die riesigen Tische … man versteht das Leben dieser Leute, wenn man ihre Wohnungen kennt. Es ist ein bißchen schwer, das Museumshafte wegzudenken und sich wirkliche Wohnräume vorzustellen, so wie ja auch Goethe nicht in dieser kalten Pracht gewohnt hat, die sie, mit Ausnahme von zwei unvergeßlichen Stuben, da in Weimar aufgebaut haben. Wenn man aber in Pau versucht, sich die leise Unordnung vorzuträumen, die erst eine bewohnte Wohnung ausmacht, jenes praktische Durcheinander, zurechtgerückte Stühle, einen Säbel, an die Wand gelehnt, einen Hut auf dem Tisch … dann versteht man. Freilich mußten achttausend Bauern schlecht wohnen und hart arbeiten, damit der hier so leben konnte, aber als Symbol geraubter Arbeitskraft ist es immer noch schöner als eine große Hypothekenbank. Der König hats gewagt — der Bankier hat heimlich ein böses Gewissen und das merkwürdige Gefühl, als rutschte ihm etwas unter dem Hintern weg. Was am Schloß von Pau so besticht, ist die massive Lebensfreude, die gleichzeitig sublimiert ist: ein Hammelbraten auf dem Tisch, so groß, daß man vom Hinsehen Magenerweiterung bekommt — aber die bezauberndste Innenarchitektur, die sich denken läßt. Er hat gern gelebt, und vom groben bis zum feinen beherrschte er alle Raster.

Sicher gabs auch Kummer und Ärger. Gar nicht zu sprechen von den Stänkereien mit den Lieferanten — hatten ihn nicht einmal sogar die «cagots» verklagt? Ist das zu glauben?

Die Cagots ...

Man sagt, sie stammten von den Sarazenen ab; es waren degenerierte Menschen, deren Schilddrüse nicht in Ordnung war, wie man das im Gebirge häufig vorfindet. Die ‹Großkropfeten›, sozusagen. Aber wie verschieden haben im Mittelalter Tirol und die Pyrenäen auf diese Kranken reagiert! Die Cagots in Frankreich waren eine ‹race maudite›, fast völlig von aller Gemeinschaft ausgeschlossen: sie durften keine Bäckerläden betreten, sie durften lediglich untereinander heiraten, wodurch sich die Degeneration nur noch verschlimmerte, und sie hatten eigene Kircheneingänge, denn ganz wollte die Allesumfassende sie denn doch nicht ausstoßen. In Luz, südlich von Lourdes, hat die uralte Kirche, die aussieht wie eine Festung, noch eine kleine Extratür, da sind sie hindurchgeschlüpft. Sie hatten einen roten Lappen auf dem Kleid zu tragen, damit man sie schon von weitem erkennen konnte. Es stand schlimmer mit ihnen als mit dem Henker.

Im Tal von Argelès gab es viele, bei Luchon und im Distrikt Ariège. Heute sind sie fast ausgestorben, man muß schon sehr suchen, wenn man sie sehen will. Es sind nicht eigentlich Kretins — es ist eine allgemeine körperliche Verkümmerung, gegen deren Folgen sie zum Teil immun geworden sind.

Und weil sie sich damals hauptsächlich als Zimmerleute ihr Brot verdienten, so bauten sie auch für den König, sie gerieten in Zahlungsstreitigkeiten mit ihm und konnten es doch wagen, ihn zu verklagen. Ganz rechtlos waren sie nicht.

Der König hatte so seinen Kummer: politischen und finanziellen, denn er verfügte über viel Geld und gab stets eine Kleinigkeit mehr aus als er hatte — und da war seine Frau, die immer dieselbe blieb, und seine Geliebten, die nicht immer dieselben blieben ... Erfaßte ihn nicht zum Schluß diese widersinnige, also echte Leidenschaft zu Charlotte von Montmorency, die er verheiratete, um sie bequemer und unauffälliger in seiner Nähe zu haben? Und wie war er aufs Ehrlichste erschrocken, verstört und beleidigt, als ihr Mann, der Prinz von Condé, sie nach Belgien brachte! «Ich bin nur

Haut und Knochen», schrieb er. «Nichts macht mir mehr Spaß, ich will allein sein . . .» Er hat sie nie wiedergesehen.

Wie sie ihn liebten! Schon um 1680 wollten sie seine Büste aufstellen, aber Ludwig der Vierzehnte schickte ihnen, hochmütig, die eigne. Sie bauten das königliche Geschenk auf und versahen es mit einer Unterschrift. «Celui-ci est le petit-fils de notre bon Henri.» Und im Jahre 1843 bekamen sie nun ihren guten Heinrich, ‹Lou nouste Henric›, wie es im Dialekt heißt. Er steht noch auf dem Platz, aber ich habe ihn gut gekannt: er ist nicht getroffen.

Jetzt klingt rund um den Guten das Konzert aus einem Musikpavillon der achtziger Jahre, aus denen sich auch die Kapelle, der Dirigent und das Publikum herübergerettet haben. Ist das noch sein Pau —?

«Die Leute haben dabei gewonnen, ich weiß. Sie haben keinen Krach mehr mit den Nachbarn und leben friedlich; aus Paris schickt man ihnen die neuen Erfindungen und die Zeitung: Ruhe, Umsatz und Wohlbefinden sind zweifellos größer geworden. Aber wir haben doch dabei zugesetzt: an Stelle von dreißig kleinen Hauptstädten, die alle brodelten und eigene Gedanken hatten, stehen da nun dreißig Provinzstädte, ohne Leben: Filialen. Die Frauen wollen einen neuen Hut haben, die Männer rauchen ihre Zigarette im Café — das ist ihr Leben; aus dümmlichen Zeitungen klauben sie sich alte, abgenutzte Ideen heraus. Früher hatten sie politische Köpfe, Höfe und das Lautenspiel der Liebe.» Soweit Taine.

Ist das noch Heinrichs Stadt —? Pau hat alles, was so ein Ort braucht, der im Winter das Zentrum des Schneesports ist: große Hotels, Kanalisation, Licht, gaunernde Geschäftsleute, es ist alles da. Sie haben sich bei der Stadt ein ‹Palais d'Hiver› aufgebaut, eine Scheußlichkeit aus Glas und Eisen; ein verstaubter Bakkarat-Saal gähnt mit eingemummten Fauteuils, und wer verloren hat, sieht sich die Innenausstattung an und stirbt am Schlag.

Das Kurkonzert spielt noch immer wie eine Spieluhr, jetzt haben sie eine Carmen-Ouvertüre am Wickel, sie hört sich an wie «Schlaf, Kindchen, schlaf . . .!» Die Damen wandeln, die Männer trinken Bier und stärkende Limonaden, sanfte Winde wehen. Oben steht Heinrich der Vierte und lächelt. Er lächelt über die Nachkommen seiner Schreiber, die sich da Musik vormachen lassen; hier muß etwas vorgegangen sein, denkt er . . . «Ist denn kein Condé da?» Nein, es ist keiner da. Der König sieht sich um. Er steht ganz allein.

Eaux-Bonnes, in ehrlichem Deutsch ‹Gutwasser› geheißen, besteht eigentlich nur aus einem langen Platz, mit Bäumen darauf, von hochstöckigen Häusern eingeschlossen, dahinter sind die Berge, die passen auf, daß sich keiner erkältet. Denn Eaux-Bonnes ist einer jener zahllosen Kurplätze der Pyrenäen, in denen Kranke baden, brausen, gurgeln, inhalieren und sich sicherlich oft genug heilen können. Die Schwefelquellen, deren jedes dieser Bäder viele besitzt, kommen heiß aus dem Boden geschossen, riechen therapeutisch und tun viel Gutes.

Früher scheinen diese heißen Quellen auch andern eigentümlichen Zwecken gedient zu haben, denn ich finde in einem alten Schmöker ‹Voyage aux Pyrénées Françaises et Espagnoles par J. P. P., Paris 1832› eine merkwürdige Stelle, in der der Verfasser von den Praktiken kranker Damen berichtet; sie benutzen die Quellen gegen ihre Leiden viel zu heiß und nun gar noch innerlich, was ihnen Schaden brächte. Motiv: «Le besoin des plaisirs, plus encore que le besoin de sa santé, inspire le gout des bains et l'usage des injections minérales. Des cris, des exclamations de plaisir échappent et trahissent la baigneuse, qui ne cherche que des sensations.» Wie gut, daß die Welt fortschreitet und heute solches nimmermehr vorkommt; jeder Mann eine Quelle.

Weil mich die hohen Häuser auf dem Platz in Eaux-Bonnes so hohl ansehen, gehe ich davon; Eaux-Bonnes ist leer, die Saison ist im Absterben. Da stehen nur noch wenige Männer in der Halle des Thermal-Gebäudes und gurgeln mit Schwefelwasser. Burr, machen sie und gurr — «Zu Zeiten Franz des Ersten», sagt Taine, «waren die Quellen von Eaux-Bonnes gut für Verwundungen, sie hießen Arkebusier-Quellen, und man schickte die Soldaten dahin, die bei Pavia verwundet worden waren. Heute heilen sie mehr Kehlkopf- und Lungenkranke. In hundert Jahren werden sie vielleicht wieder etwas anders heilen, denn in jedem Jahrhundert macht die Heilwissenschaft neue Fortschritte.»

Ich will nicht Burr-gurr machen — der Nebel steigt und verhüllt das Tal, die ‹Promenade Horizontale› ist entzwei, alle Leute warnen, man solle da nicht gehen, mit den Laufbrücken sei das so eine Sache... Im Hotel schleicht die graue Langeweile durch alle Gänge.

Sonderbar, welch altmodischen Eindruck diese Pyrenäen-Badeorte machen! Die Mode, in die Pyrenäen zu gehen, stammt etwa aus dem Jahre 1860, und Napoleon III. hat damals nach sich gezogen, was an Snobs gut und teuer war. Aber diese Leute stiegen nicht auf die Berge, sie sahen sich ein Schauspiel von unten an, das für sie eine Art Theaterdekoration war. Und daher schmecken wohl so viele Pyrenäen-Badeorte nach Vergangenheit.

Nicht etwa, als ob sie nicht hübsch eingerichtet wären! Die Engländer haben sich überall das laufende Wasser erzwungen, das ihnen von den Wildbächen in die Hotels gluckert; kein Zimmer daselbst, in dem man nicht etwas fände, was eine baltische Baronin einmal mit dem Wort ‹Intimitäten-Schüssel› bezeichnet hat — nein, soweit ist alles in Ordnung. Aber die Leute, der Schmuck in den Gebäuden, das Gehaben des ganzen Ortes, selbst die Bäume und die Gärten — alles sieht aus wie 1875. Jetzt komme ich in das Lesezimmer hinunter, und da hätten wir eine Gruppe, einen Holzschnitt aus der Offenbach-Zeit, nur die Kostüme sind schwach erneuert. Ein junges Mädchen wippt im Schaukelstuhl, eine Mama paßt auf, und ein alter Herr steht hinter den Damen und sagt süße Sachen. «Der Graf, ein gut erhaltener Fünfziger, beugte sich leicht über die Schulter der schweigsamen Juliette. ‹Comtesse›, sagte er, ‹wenn Sie wüßten . . .›» Fortsetzung im nächsten Heft.

Soweit Gutwasser.

Heißwasser — Eaux-Chaudes — ist noch viel ausgestopfter. Das ist nun auch wirtschaftlich pleite. Der betrübte Badediener führt mich durch das Bad, das unter Sequester steht, sie haben in keiner Zelle mehr einen Stuhl, wegen Gepfändetwordenseins. Das Badehaus ist ein riesiger alter Kasten, mit sicherlich guten Quellen, aber trotz der schönen Namen, die sie führen: ‹L'Esquirette Chaude› und ‹Le Rey› und ‹Minvielle› — sind sie zur Zeit nicht hoch im ärztlichen Kurs notiert, und so hat sich eine plötzlich hinzugekommene Überspekulation, gegen die es keine heißen Quellen gibt, gerächt — das Bad ist nur noch eine sich mühsam dahinschleppende Sache.

Es ist so still hier, besonders wenn niemand badet . . . Das Hotel hat ein Fremdenbuch; es reicht weit zurück.

18. Juni 1857
Otto Freiherr von Ende
Königl. Preußischer Offizier.

Sein Kollege aus dem Jahre 1916 ist ausführlicher.

«Wer hier nicht zufrieden war, braucht nur in die
Schützengräben zu gehen — vielleicht gefällts ihm
da besser!»

Das hat der Kapitän Passepoil eingetragen, und er war sicherlich sehr stolz darauf . . . Das gleicht sich überall, diese da.

Für den Abend gibt es ein wanderndes Zeltkino. Weil ein Grammophon hinter der Leinwand steht, wird behauptet, der Film spreche. «Tadellose Nachahmung von Wasser, Menschenschritten und

Pferden, Kanonengebrüll und Platzen der Granaten...» Wer möchte das nicht hören! Aber was sind das für blutrünstige Leute! ‹Die Tanks bei Verdun› — ‹Im Bagno› — und: «Dritter Teil. ‹Rache und Sühne!› Im letzten Bild: ‹Die Guillotine›. Vorher Pause von zwei Minuten, um nervenschwachen Personen die Möglichkeit zu geben, den Saal zu verlassen.» Nervenstark blieb ich bis zum Schluß und durfte noch sehen: ‹Originaltorpedierung der Lusitania› und: ‹Die Märtyrer der Inquisition› sowie ‹Chirurgische Operationen›. Das erinnerte mich lebhaft an die verbotenen Filme, die ich einmal im Berliner Polizeipräsidium gesehen habe und die für alle Geschmäcker etwas boten: Injektionen in das Weiße des Auges (Großaufnahme), Fliegerabsturz und Szenen aus dem Harem, die den Zuschauer dem nächsten Landbriefträger in die Arme zu treiben geeignet waren.

Ab nach Laruns.

So heißt der kleine Ort im Tal, zwischen Eaux-Bonnes und Eaux-Chaudes, da fängt die Eisenbahnlinie an, und von da aus möchte ich weiter. Ich streiche in dem dunkeln Ort umher, es ist schon spät. Und aus Neugierde und Langerweile leuchte ich mit einer Taschenlampe eine Steinsäule ab, die da herumsteht, und falle vor Überraschung fast auf den ‹lächerlichen Gegenstand›, wie Rousseau das genannt hat. Da haben sie einem einen Gedenkstein gesetzt.

Wem —?

Sechs Fuß hoch aufgeschossen,
Ein Kriegsgott anzuschaun,
Der Liebling der Genossen,
Der Abgott schöner Frauen —

Hier ist die andre Seite. Hier erinnert sich das dankbare Laruns an sein berühmtes Kind: an den Kavallerieunteroffizier J.-B. Guindey von den zehnten Husaren, der am 10. Oktober 1806 im Gefecht bei Saalfeld Prinz Louis Ferdinand von Preußen erschossen hat. Eine Unterschrift besagt: «A nous le souvenir, à lui l'immortalité.» Wat dem eenen sin Uhl, is dem annern sin Nachtigall, und welch schöne Sache ist doch der Krieg! Jedes Los gewinnt.

ab Laruns 21.56
Es ist drei Viertel zwölf. Ja, dann wären wir wohl soweit.

1. Der Soldat Paul Colin

Der Soldat Paul Colin von den elften Husaren, aus Liart (Ardennen) gebürtig, fuhr am 6. August 1914 zu seinem Truppenteil, der bei Tarbes in Garnison lag. Er traf alle seine Freunde aus der Dienstzeit. Am 15. September hielten dieselben jungen Bauern, Handwerker, Angestellten, als Husaren verkleidet, vor der großen Kirche in Lourdes — zum Abschiedsgottesdienst. Der Bischof von Lourdes und Tarbes, Monseigneur Schoepfer, stand in vollem Ornat auf dem weiten Platz, mit der gesamten Geistlichkeit. Zehn Schritt von ihm entfernt: der Regimentsstab. Armee und Kirche — beide fühlten ihre Zeit gekommen, beide wußten: Autorität gedeiht im Kriege. Sie standen Schulter an Schulter. Da richtete sich der Regimentskommandeur, Herr de la Croix-Laval, vor der Front im Sattel auf und wandte sich erst zu seinen Leuten und dann zum Prälaten. Die Tausende hörten diese Worte:

«Und nun, Priester des ewig lebendigen Jesus Christus, fleh auf uns den Segen des Allmächtigen herab! Er soll mit uns eins sein und mit denen, die uns teuer sind! Er soll vor allem aber mit unsern Degen sein und uns den Sieg verleihen!» Zum Regiment: «Sabre en mains!»

Und der Bischof von Lourdes und Tarbes segnete die elften Husaren und flehte auf die Streiter Jesu den Segen des Himmels herab.

So schied der Soldat Paul Colin von der Heimaterde, gesegnet von seiner Kirche.

Der Soldat Paul Colin bekam an der belgischen Grenze in einem Wäldchen, dessen Namen er sich niemals merken konnte, einen Schuß in den rechten Oberarm. Anfangs war das eine leichte Wunde, und das erste Feldlazarett behandelte ihn entsprechend. Er wollte seiner Truppe wieder nachgehen, als es im Arm zu zucken begann. Da mußte er bleiben. Und dann transportierten sie ihn in ein größeres Lazarett und von dort in das Asyl von Unsrer Lieben Frau zu Lourdes (Hilfslazarett Nr. 32), und da lag er nun. Das Zucken war längst zum schneidenden Schmerz geworden, und sie hatten ihm gesagt, daß es ein innerlicher Bluterguß wäre; was sie aber nicht gesagt hatten, war ein kleines Wort, das über sein Schicksal entscheiden konnte. Brand.

Blut und Eiter liefen aus der Wunde, Geruch und Schmerzen waren gleich unerträglich, und weil es damals, wie man weiß, etwas hart herging, so schafften sie den zukünftigen Kadaver in die Leichenhalle, die grade leerstand. Da belästigte der Soldat Paul

Colin keinen, und außerdem lag er gleich da, wohin er sicherlich in ein paar Stunden gehörte.

Die Schwester Mathilde, vom Schwesterorden aus Nevers, dem Orden, dem die selige Bernadette angehört hatte, die Schwester Mathilde gab den Mut nicht auf. Sie betete für den Soldaten Paul Colin und tränkte seinen übelriechenden Verband mit dem Wasser aus der Grotte von Lourdes.

Er blieb am Leben.

Ärztliches Attest, Bericht und Krankengeschichte finden sich im großen Werk von Fr.-Xavier Schoepfer, des Bischofs von Tarbes und Lourdes, ‹Lourdes pendant la Guerre›, nach vielen Hirtenbriefen für das Wohl Frankreichs, gegen die lutherischen Modernisten Deutschlands, was der Bischof genau wissen muß, denn er ist zu Wettolsheim im Elsaß geboren. Die Kirchenparade in Lourdes ist authentisch, die Beteiligung grade dieses Soldaten ist erfunden.

Und so wurde der Soldat Paul Colin vom Tode gerettet, bewahrt und gesegnet von seiner Kirche.

«Mit Gott, Soldaten!» — «Nimm dieses Wasser, mein Sohn . . .»

Denn die christliche Kirche treibt nicht nur die Gläubigen in die Gräben und segnet die Maschinen, die zum Mord bestimmt sind — sie heilt auch die Wunden, die der Mord geschlagen hat, und ist allemal dabei.

2. Ein Tag

In den kleinen schmutzigen Straßen ist noch kein rechtes Leben, da gehen und kommen einzelne Leute, die Pilger schlafen wohl noch, denn mitternachts ist eine Messe, und während der ganzen Nacht knien Betende in der Basilika.

Jedes Haus ist ein Hotel; vom mittlern Gasthof bis zur Ausspannung sind alle Arten vertreten, und in jedem zweiten Haus ist ein Andenkenladen. Aber alles das will ich jetzt gar nicht sehen. Zur Grotte! zur Grotte!

Nun wird das Gewühl stärker, Wagen quetschen sich zwischen den Leuten hindurch, die elektrische Bahn poltert, noch mehr Läden, noch mehr Straßenverkäufer, die da brave Gruppenaufnahmen, Andenken, Kerzen und Vanille feilhalten — die ganze Luft riecht nach Vanille. Da: die Basilika.

Eine moderne hohe graue Kirche, rechts und links mit zwei weitausladenden Rampen, die den Platz wie zwei Arme umfassen. Einzelne Leute gehen durch einen Torbogen der Rampe zur Grotte. Und da sind auch die ersten Kranken.

Sie wanken auf Krücken, sie schleppen sich am Stock, sie werden auf Wagen dorthin gebracht, zweirädrige Sitzstühle, an denen

vorn ein blaues Schild hängt: «Schenkung von Fräulein M. P. 1904».
Die Wägelchen werden von Krankenträgern geschoben: das sind
Leute, die einen Ledergurt um die Schultern gehängt haben, es ist
der Tragriemen, an den sie die Bahren knüpfen. Ich gehe ihnen
nach.

Rechts ist eine Hügellandschaft, von einem Eisenbahndamm
durchzogen. Links ragt die Längsseite der Kirche auf, Bäume stehen davor, und unter ihnen schallt es. Da stehen die Leute und
beten. Und hier sind die Badezellen.

Es sind drei Abteilungen, in denen befinden sich die eingelassenen Wannen mit dem Quellwasser. Davor ist ein eingezäunter
Platz, hier steht Krankenwagen an Krankenwagen. Man sieht bleiche, abgezehrte, fiebrige Gesichter. Männer auf der einen Seite,
Frauen auf der andern. Vor ihnen ein Geistlicher. Er betet laut.
Die Masse unter den Bäumen, an die Gitterstangen gedrückt,
spricht die Worte nach. Wie *eine* Stimme steigt das auf.

Der Priester: «Seigneur, nous vous adorons!»
Die Masse: «Seigneur, nous vous adorons!»
Der Priester: «Seigneur, nous vous adorons!»
Die Masse: «Seigneur, nous vous adorons!»
Der Priester: «Seigneur, si vous voulez, vous pouvez me guérir!»
Die Masse: «Seigneur, si vous voulez, vous pouvez me guérir!»
Jede Formel wird dreimal gesprochen, die Worte hämmern sich
ein.

«Seigneur, dites seulement une parole et je serai guéri!» Die
Pilger, die Angehörigen der Kranken und Fremde wiederholen sorgfältig Satz für Satz. Manche — besonders Frauen — stehen demütig da: ich will ja auch alles tun, wie es vorgeschrieben ist . . . Viele nehmen die Kreuzstellung ein.

Hier hängt alles vom Vorbeter ab. Ist das ein Mann mit schwacher Stimme, der schlecht artikuliert, dann gibt es Vormittage, an
denen vierhundert Leute einfach Gebete aufsagen. Steht da aber
einer, der, breitschultrig und robust, seine Stimme aufklingen läßt,
die Vokale singt und Konsonanten herausschnellt, hat er den Fun-
ken: dann rieselt es durch die Menschen, es zündet, und nun ist
es da.

«Jesus, Fils de Marie, ayez pitié de nous!»
Der Vorbeter setzt die Worte scharf an, er betont sie auf der
ersten Silbe — «piiitié!» sagt er — «piiitié» sagen die Leute. Rings
um mich angespannte Lippen, konzentrierte Augen, verhauchende
Hingabe. Es ist so viel Wille in ihnen!

Und nun wie ein Schrei, ein Ruf aus tiefster Not, ein Befehl, ein
Kommando —!

«Seigneur, faites que je voie!»
«Seigneur, faites que je voie!»
«Seigneur, faites que je voie!»

Hörst du es, Gott! Dein Kind ist blind, wir haben gebetet, geglaubt, sind zur Messe gegangen und stehen nun hier, bittend, heischend, verlangend, befehlend —!

«Seigneur, faites que je marche!»

Jetzt haben sie ihn: Er ist ihr Gott, gewiß, und er kann mit ihnen machen, was ihm beliebt. Aber der Priester hat nun einen roten Kopf bekommen vor Anstrengung und Kraft, mit Klammern hat er die Masse gepackt, und wenn es auch ausgestreckte Hände sind: Fäuste ragen da auf, sie drohen, sie wollen die Gnade vom Himmel herunterreißen, sie haben sie verdient, her damit —!

Die Kranken sitzen bleich in der Mitte. Es ist so wohltuend, Mittelpunkt zu sein! Endlich einmal heraus aus den engen Stuben, wo man sich schon an ihre Leiden gewöhnt hatte, ohne das matte Mitleid der abgestumpften Verwandten, die sanften Zusprüche der Geistlichen und die gleichgültigen Sprüche der Ärzte, die ja doch nicht helfen können... Nichts da. Hier wird eine Schlacht geschlagen. Hier sind es die Kranken, die in der Mitte stehen, alle sehen sie an, aller Blicke umfassen sie, das stärkt. Und dann wird einer nach dem andern in den Baderaum geschoben.

Hier soll niemand dabei sein. Die Krankenwärter passen scharf auf, daß keiner während der Bäder den Innenraum betritt. Kein profanes Auge soll das Mysterium sehen.

Schlägt man den Leinenvorhang zurück, der den innern Baderaum von der Außenwelt trennt, so sieht man, wiederum hinter Vorhängen, die eingelassenen Steinwannen. Hier stehen die Kranken an der Wand und entkleiden sich langsam — viele steigen mit dem Hemd hinein, manche, die Schwerkranken, werden nackt ausgezogen. Ununterbrochen schallt das Beten von draußen herein, wie ein dumpfer Marschchor, scharf, rechthaberisch, laut. Auch hier drinnen wird gebetet. Da heben sie einen Krüppel ins Wasser, die Krankenwärter beten dabei und schwenken ihn auf und ab, tauchen ihn bis zum Hals ein. Ein kleiner Junge schreit, er will nicht gebadet werden, nein! Ich befühle das Wasser — es ist eiskalt. Einer nach dem andern steigt hinein, wird hineingehoben, wie ein Wickelkind, und sie beten und beten. Priester stehen dabei und sehen zu.

Sei es, daß sie Furcht haben, die heilige Quelle könne nicht so viel hergeben, sei es aus diesem seltsamen und verständlichen Glauben heraus, Wasser, über das so viele Gebete hingebraust sind, wirke stärker als frisches —: dieses Wasser wird nur zweimal am Tage gewechselt, nachmittags und abends. Hunderte baden also in demselben Bad, und das Wasser ist fettig und bleigrau. Wunden, Eiter, Schorf, alles wird hineingetaucht. Nur wenn sich jemand vergißt, erneuern sie es sofort. Niemand schrickt zurück; vielleicht wissen sie es nicht. Ein völlig Degenerierter zittert nackt auf einem Stuhl, auf den man ihn hingesetzt hat, er hat Beinchen wie ein Kind; vorsichtig wird ein verklebter Verband abgenommen, ein Gesicht verzieht sich. Das eilige, brummelnde Gebete der Badewärter hebt sich vom dunklen Lautteppich des Chors ab.

«Mère du Sauveur, priez pour nous!»

«Mère du Sauveur, priez pour nous!»

Vor Kälte schlotternd ziehen sich alte Männer an, das nasse Hemd unter dem Rock, andere werden angekleidet wie Puppen. Ein Strom von Elend rinnt durch diese Kabinen. Ich war gebeten worden, nicht in die Frauenkabinen zu gehen, und ich habe es nicht getan.

Daneben liegen die Wasserhähne, aus denen man Trinkwasser schöpfen darf, da stehen sie mit Blechkannen und Bechern und Gläsern, manche schöpfen aus der hohlen Hand. Man sieht Bauern, die unglaubliche Mengen Wasser zu sich nehmen — viel hilft viel. Ich drücke mich zur Grotte hindurch.

Es ist eine kleine Felsgrotte, ein paar Meter tief, mit einem schmiedeeisernen Gitter. ‹Entrée› und ‹Sortie› steht daran, auf blauen Emailschildern in weißer Schrift; einen Augenblick lang zieht ein Straßenschild an meinem Auge vorüber... Seitlich an der Grotte steht eine Kanzel, auf ihr ein Geistlicher im Ornat, der die Betenden ermahnt, tröstet, anfeuert. Seine Worte hallen über die Köpfe hinweg und zerflattern in der Luft. Es ist sehr schwer, im Freien zu predigen... Langsam, unendlich langsam schiebt sich die Menge an der Kanzel vorbei, in die Grotte. Alle halten Kerzen in den Händen, und da flammt ein großer Lichtständer, das Stearin tropft und bildet merkwürdige Figuren. Zwei Meter vom Boden entfernt, in einer Höhlung oben in den Steinen, steht sie: Notre-Dame de Lourdes, Our Lady of Lourdes, Onze Lieve Vrouw van Lourdes, Gospa od Lourda, Nuestra Señora de Lourdes, Miesac Mary i Lourdes, Nossa Senhora de Lourdes — die Jungfrau Marie. Hier ist sie dem kleinen Bauernmädchen aus Lourdes zum erstenmal erschienen und hat Quelle und Heilung vorausgesagt. Vor ihr bekreuzigen sich alle, dann küssen sie den Stein, auf dem sie steht, der Stein ist glatt und speckig von den vielen Händen, die ihn gestreichelt haben. Ich denke an die verzückte, rasche Gebärde, mit der unter der Erde, in den Grotten von Bétharram, in der Nähe von Lourdes, eine Frau jenen Stalaktiten anfaßte, von dem es hieß, er bringe Glück. Sie sprang auf ihn zu, um keinen Augenblick zu versäumen. Nun preßt die Menschenmauer nach vorn. Ein Altar ist aufgerichtet, da brennen die Kerzen, fortwährend klappert Geld in die Kästen, und die Erde ist bedeckt mit Briefen, Kupfermünzen, Bildern, Blumen, Glasperlen, Weihgeschenken. Langsam, langsam werden wir wieder hinausgedrückt. Am Ausgang hängen alte Krükken, die haben die Geheilten aufgehängt, und ein Gipskorsett ist auch dabei.

Vor der Grotte, in Wagen und Bahren: die Kranken. Sie sitzen und liegen da, die Augen zum Himmel aufgerichtet, die Träger, die sie umgeben, beten — die Verwandten beten, manche sind halb bewußtlos und haben die Augen geschlossen und fiebern. Sie halten Rosenkränze in den Fingern. Viele singen.

Neugierige und Touristen stehen unter den Leuten, es wird fotografiert, gesprochen, in Büchern geblättert.

Bahren im Getümmel, Krankenwagen, gestützte Kranke — alles geht leise und freundlich vor sich. An der Kirche, an den Plätzen, überall sind im Freien Kanzeln aufgestellt, da predigen die fremden Priester, die mit den Pilgerzügen gekommen sind, in ihren Sprachen. Und nun ist es Mittag, und dann leert sich langsam der Platz.

So fängt der erste Tag der Pilger an, die in den ‹trains blancs› ankommen, den großen Krankenzügen, mit Liegevorrichtungen für die Kranken, gestopft voll, mit Krankenschwestern und Pflegern, mit dem Bischof oder Erzbischof der Diözese, dem weltlichen Leiter, der die ermäßigten Billetts besorgt, und mit einem Arzt. Wenn sie ankommen, verteilen sie sich in der Stadt — die großen Unterkunftsbaracken gibt es nicht mehr.

Die Frommen gehen gleich nach der Ankunft zum Gottesdienst, zum Quellenbad, zur ‹piscine›; große Anschläge verkünden überall in der Stadt den Dienst des betreffenden Zugs, alles ist Tradition, alles ist vorausgesehen und eingespielt.

Ich sehe mich in den Hospitälern um: im Krankenhaus Notre-Dame-des-Douleurs, das trägt seinen Namen mit Recht; im Asyl, das nahe der Basilika liegt. Da ist der große Speisesaal mit den langen Tischen, sauber gedeckt; wird die Querwand beiseite geschoben, so sehen die Kranken in eine Kapelle und können so dem Gottesdienst beiwohnen, der für sie abgehalten wird. Im Vorgarten, auf allen Wegen Kranke. Man sieht schreckliche Gesichter.

Bevor es wieder beginnt, gehe ich durch die Kirchen. Die Basilika hoch oben, eine kleinere Kapelle und eine Krypta. Alles blinkt vor Neuheit, die Wände überladen mit Gold, Schmuck und Ornamenten. Votivtafel an Votivtafel. Kriegsorden, Haarlocken — eine

Verkrüppelte hat unter Glas und Rahmen die braunen Nägel aufbewahrt, die ihr durch die Hand gewachsen waren und von denen sie nun befreit ist. Auf den Tafeln selten ein voller Name, immer nur die Anfangsbuchstaben. Die Bänke sind jetzt nicht so überfüllt, auch einige Beichtstühle sind leer, was sonst den ganzen Tag nicht vorkommt. Die Gläubigen, die hier umhergehen und alles bewundern, tragen Abzeichen — jeder Pilgerzug hat das seine. Man sieht silbrige Münzen und bunte Bänder aller Farben und Länder. Einmal hörte ich deutsch sprechen.

Um drei Uhr nachmittags ist der große Platz gesperrt, hinter den Rändern summt und wimmelt es an den langen Leinen, mit denen er abgegrenzt ist. Hier wird nachher die große Prozession entlanggehen, und obgleich es noch lange nicht halb fünf ist, stehen und sitzen da schon viele Frauen mit Kindern und auch Männer. Sie haben sich Klappstühle mitgebracht, die man für drei Francs kaufen kann, und warten unter den Bäumen. Noch werden viele Kranke an die Grotte gerollt und zum Bad; nachmittags sind es nur die Schwerkranken, die gebadet werden. Wieder stehen alle dichtgedrängt um den Priester, wieder ruhen die Kranken auf den Stühlen, wieder schallen die Gebete. Lauter, lauter.

«Hosanna, hosanna au Fils de David!»

Erst klingt mir das Wort ‹Hosianna› in der französischen Version fremd, dann bleibt es haften, sie sprechen es mit vielen ‹n› in der Mitte, wiegen sich im Klang. Und nun kommen schon die ersten Fahnenträger, sie stellen sich an der Grotte auf und singen, die Kranken werden einzeln abgefahren, man stellt sie auf den großen Platz in die erste Reihe. Da liegen sie auf Bahren, sitzen auf ihren Stühlen. Hinter ihnen die Massen.

Halb vier Uhr. Eine riesige Prozession formt sich, die Spitze steht auf der langen Esplanade, alle haben die Basilika im Rücken — denn sie werden erst den Rasenplatz umschreiten, mit dem Heiligen Sakrament in der Mitte. Oben, die Plattform der Kirche, ist schwarz vor Menschen, die beiden Rampenarme sind frei und leer. Die Träger sperren sie ab. Da kommt die Prozession.

Nach der Augenschätzung mögen es vielleicht zehntausend Menschen sein, die Nachprüfung ergibt annähernd die Richtigkeit. Sie schreiten langsam, Gesang schallt, man kann noch nicht hören, was sie singen.

In der Mitte des Platzes knien jetzt Priester, sie beten, und alle beten nach.

«Bienheureuse Bernadette, priez pour nous!»

Alle:

«Bienheureuse Bernadette, priez pour nous!»

Der Platz braust. Spricht der Priester da vorn auf dem Platz lateinisch, so fallen alle ein, und die langen Sätze schnurren unter den Bäumen. Beginnt er zu singen, so singen sie mit.

«Seigneur, nous vous adorons!»

Das ist ein Franzose. Aber da kniet nun ein paar Meter weiter von ihm, schräg, ein Priester der Pilger, und das ist ein Italiener. Und als der seine Stimme erhebt, da verschwindet alles andere neben ihm. Welch ein Tenor!

«Signore —!»

Ah —! Durch Mark und Bein geht diese Stimme, sie peitscht die Leute auf, sie singt ganz allein unter den Tausenden. Jetzt ist die Sache in der richtigen Kehle.

Da naht die Prozession.

Von weitem sieht man die langen Arme schwarzer Priester in der Luft herumfuchteln: sie dirigieren den Gesang, rühren in den Massen. Brennt, Flammen —! Dann kommen sie.

Erst die Marienkinder, junge Mädchen in weißen Schleiern, sie singen mit hellen Stimmen. Man dirigiert sie auf die Freitreppe, da bleiben sie eng gedrängt stehen, und ihre weißen Schleier zieren die geschwungenen Balustraden. Dann die Männer, sie tragen Kerzen in den Händen und singen laut. Das Sakrament. Alles fällt auf die Knie, die Kranken neigen die Köpfe. Der Erzbischof zieht unter dem Baldachin dahin, den ein Mann in Reitstiefeln trägt, davor die Weihrauchkessel, die ununterbrochen geschwungen werden.

Nun macht das Sakrament die Runde, und es ist ganz still auf dem großen Platz. Nur zwei Priesterstimmen sprechen ein Gebet. Der goldne Stab wandelt langsam an den Kranken vorüber, zeigt sich, neigt sich ... Nasse Augen, wohin ich sehe. Jetzt steht der Bischof unter seiner Geistlichkeit, grade vor dem Haupteingang der Basilika, da fallen die Geistlichen auf die Knie, er hebt die Hand, das Glöckchen klingt ... totenstill ists unter den Bäumen. Und nun kommt der eindrucksvollste Augenblick des Nachmittags.

Der Gottesdienst hat geendet. Was nun —?

Jetzt brodeln die Leute aufgeregt durcheinander, dies ist der große Moment ... Hat Maria geholfen —? Sie *wollen* ihr Wunder, sie suchen danach, sie stecken die Köpfe zusammen, die Luft ist geladen vor Erwartung.

Aus einer Ecke springt es auf, wer hat zuerst gerufen —? «Un miracle! Un miracle!» Alle laufen, da ist kein Halten mehr. Ein Hauchlaut der Verwunderung ertönt, wie beim Chor im Drama, der mit leisem «Ha —» vor einem Helden zurückweicht ... «Un miracle! Un miracle!» Im Nu ist die Tür des Bureau des Constatations umlagert.

Das liegt in einer Seitenwand der Rampe, die Tür ist zugesperrt, denn die Ärzte drinnen wissen, was sich jetzt ereignen wird. Die Pilger würden die geheilte Kranke zu Boden reißen, sie betasten wollen, ihren Segen wünschen, sich ihre Kleider teilen zum Andenken. Viele Frauen schluchzen.

In den kleinen Zimmerchen des Bureaus warten Priester, fremde Ärzte, die Angehörigen. Die Kranke breitet ihre Zeugnisse aus, die besagen, daß und wie sie erkrankt war, sie wird untersucht, befragt, ausgehorcht... Die Kommission ist sehr vorsichtig, sehr skeptisch, sehr behutsam... Nun ja, eine Besserung... Vorläufig wird die Kranke ins Hospital entlassen. Draußen bilden Tausende Spalier und klatschen ihr zu, jubeln; strahlend durchfährt sie die Hecke der Begeisterten und heimst so etwas wie einen persönlichen Erfolg ein. Die Heilige Jungfrau hat sie ausgewählt, hat sie für würdig befunden, sie und keine andre.

Die andern werden nun in die Krankenhäuser abgefahren. Diesmal war es mit ihnen nichts. Vielleicht aber kommt noch die Heilung...

Ein Zug rollt an. Der Krankenträger, der hier die Ordnung aufrechtzuerhalten hat, trennt ihn nach Nationen. «Français?» fragt er. «Italien?» Ein schrecklicher Stumpf von einem Menschen sitzt in einem Stuhl, mit ganz großem Kopf, winzigen Gliedmaßen, eine Masse Fleisch. Das Ding nickt mit dem Kopf. Frauen mit wunderlichen Auswüchsen fahren vorbei, manchen hat man Tücher über das Gesicht gelegt, man ahnt nur das Entstellte darunter. Ein rothaariger junger Mensch wird herangefahren, er klappert mit den Zähnen, er hat Fieber, und seine langen gelben Zähne ragen seltsam aus dem spitzen Gesicht. «Français?» fragt der Krankenträger. «Italien?» Der Fahrer scheint es nicht zu wissen, und der junge Mensch antwortet nicht. Da will der Ordner nach dem Abzeichen sehn. Er lüftet die Decke... Aber das ist eine Frau, die darunter liegt! eine junge Frau mit welken Brüsten, und jetzt hat sie die Augen geschlossen und sich hintenübergelegt und sagt überhaupt nichts mehr. Sie verschwindet im Asyl. Und so kommen noch viele.

Die Menge diskutiert die Heilungen, die sich in den Gerüchten minütlich vergrößern, an Zahl, an Schwere, an Kraft des Mirakels. Sehr langsam zerstreuen sich die Massen im Staub der Nachmittagssonne.

Für den Abend ist die große Fackelprozession angesetzt, schon kurz nach dem Abendbrot laufen alle Leute in Lourdes mit kleinen Fackelchen herum, wie man sie uns auf den Kinderfesten in die Hand gesteckt hat. Blaugedruckte Papierschirme mit dem Bildnis der Jungfrau umhüllen die Kerze. Aber bevor das angeht, sehe ich noch etwas anderes.

Die Kranken können die Hospitäler nicht verlassen, sie können den Fackelzug nicht verstärken. Wenn der Pilgerzug groß genug ist, dann versammeln sich manchmal die Angehörigen vor dem großen Krankenhaus und ziehen an ihren Kranken vorbei. Und das ist das Erschütterndste, das ich in Lourdes gesehen habe.

Zum Fackelzug wird das ‹Ave Maria› gesungen. Verfasser und Komponist ist der Abbé Gaignet, ein Geistlicher aus der Vendée, er schuf dieses Lied im Jahre 1874. Es hat unzählige Strophen, einfache Vierzeiler zu einer simpeln Melodie, und als Refrain ist ihm das Ave angesetzt, das in der französischen Liedbetonung ungefähr folgendermaßen klingt:

Avé
Avé
Avé Mariaa —

Es ist so einfach, daß es ein Kind nachsingen kann. Und da stehen sie nun vor dem Hospital de Notre-Dame-des-Douleurs und singen:

Sur cette colline
Marie apparut
Au front qu'elle incline
Rendons le salut:
Avé — Avé —

In den hohen hallenartigen Krankenzimmern ist helles Licht angezündet. Kerzen aller Art, kleine Tische sind aufgebaut mit beleuchtetem Kirchenschmuck. In den Betten liegen die Kranken und sehen mit glänzenden Augen auf den Zug, der da heransingt. Wir ziehen durch alle Gänge, durch die Korridore, in den Höfen sind wir, wir gehen durch alle Zimmer, durch alle, es soll keiner ausgelassen werden. Ave — Ave — Ave Maria ...

Auf den Backenknochen liegt hektisches Rot, die Gesichter sind mit Schweißperlen besetzt, der Ausdruck ist fiebrig, aufgeregt ... Ein Kind streckt die Hände nach den bunten Lichtern aus ... Eine alte Frau schluchzt und kann gar nichts sehen vor Tränen. Ein Alter liegt mit gekreuzten Händen, ich weiß zufällig, wie sein Körper aussieht — er leidet Schmerzen. Wir steigen die Treppen hinauf, zum ersten Stock, zum zweiten ... Die Mauern hallen wider vom Chorgesang. Wachsbleiche Frauengesichter sehen uns an, es ist so viel Zärtlichkeit in diesen Augen, kraftlose Hände liegen auf Decken, einmal weint ein ganzer Saal. Mir steigt etwas in der Kehle auf.

Inzwischen haben sie sich vor der Kirche und um die Kirche versammelt. Auf den Rampen stehen sie Kopf an Kopf, die Plattform ist gedrängt voll, der Platz ist leer, aber weit unten, an der Esplanade, tauchen Feuerfünkchen auf ... Sie fangen an.

Und da leuchtet die Basilika, ihre Konturen sind mit Glühlämpchen nachgezogen, ein Scheinwerfer erhellt die Spitze des Turmes, der liegt in bleichem Licht und sieht aus, als verschwinde er in den Wolken; oben auf dem Pic du Jer, einem Berg in der Nähe von Lourdes, blitzt ein Feuerkreuz. Und nun setzt sich die Prozession in Bewegung.

Hier hört jede Schätzung auf, es ist einfach ein breiter Lichtstrom, der sich dahinbewegt, die Pünktchen ergießen sich glitzernd über den tiefen Abgrund vor der Kirche. Bevor sie sich auf der Esplanade versammeln, gehen sie über die Plattform, sie ziehen an mir vorbei, und ich höre alle einundfünfzig Strophen des Marienliedes. «Espérance» — und «France» kann ich hören, und auch von der Wahrheit wird gesungen ...

> La France l'écoute
> Se lève soudain.
> Et se met en route
> Chantant ce refrain:
> Avé — Avé
> Avé Maria —!

Aber nun sind die letzten hier oben vorüber, und der große Feuerzug ist auf dem Platz angekommen. Sie marschieren in Schlangenlinie, sie nähern sich auf dem gewundnen Lichtpfad immer mehr der Kirche ... Und als sie nun alle, alle vor dem Tor der Kirche stehen, wie um Einlaß singend, da zischen einige: Ssss! — es wird einen Augenblick still, und dann steigt unter den Fackeln das Credo zum Himmel.

> Credo in unum Deum, Patrem omnipotentem ...

Sie singen es. Männer und Frauen, auswendig, alle die schwierigen lateinischen Worte, die sie französisch aussprechen: Spiritüs sanctüm ... Das steht wie ein Wall da unten. Unerschütterlich, voller Kraft klingt das Credo.

> Et exspecto resurrectionem mortuorum.
> Et vitam venturi saeculi. Amen.

Das ist ein Tag in Lourdes.

3. Siebenundsechzig Jahre

Vor siebenundsechzig Jahren fing es an. Lourdes war damals «ein Haufe trüber Dächer, von traurigem Bleigrau; so stehen sie da, unterhalb der Straße eng zusammengedrückt». Taine hat seine Reise im März 1858 abgeschlossen, er kam grade einen Posttag zu früh. Sonst hätte er folgendes beobachten können:

In Lourdes lebte zu dieser Zeit eine kleine Müllerstochter, Bernadette Soubirous, sie war vierzehn Jahre alt. Das Kind war immer krank, es litt an Asthma, an Atemnot, an schweren Hustenanfällen. Die Alten hatten viele Kinder und wenig Brot, es ging ihnen nicht gut. Im Sommer hütete die Kleine die Schafe in Bartrès, in der Nähe von Lourdes, bei einer Frau, die ihr Kind verloren und die kleine Soubirous genährt hatte; diese Frau ist heute noch am Leben. Lesen und schreiben konnte das Kind nicht — an kalten Wintertagen, wenn in den Hütten abends kein Feuer brannte, um zu wärmen, und kein Licht, um zu leuchten, versammelten sich die ärmeren Bauernfrauen und ihre Kinder in der kleinen Kirche zu Lourdes, und da erzählte der Curé fromme Geschichten, von göttlichen Erscheinungen, wunderbaren Quellen, Segen und Heilungen der Gebenedeiten. Die Pyrenäen sind reich an solchen Legenden. Ihnen gemeinsam ist die plötzlich auftauchende Erscheinung, meist eine weiße Frau, sie vertraut dem ahnungslosen Hirten ein gutes Geheimnis an, das er nie verraten darf, sie gibt ihm einen Auftrag, sie zeigt ihm eine Quelle, die Quelle heilt Kranke. Um Lourdes wimmelt es: Unsre Liebe Frau in Barbazan, Unsre Liebe Frau von Nestè, Médoux, Bétharram, Garaison Bourisp — so viel Namen, so viel Wundererscheinungen, weiße Frauen, Heilquellen, Geheimnisse. In der abendlichen Kirche, wohlgeborgen vor den Schneestürmen, im Flimmer der Kerzen, die die Schatten im Halbdunkel auf Goldgrund tanzen ließen, saß die Kleine und sog in sich auf, was es da zu hören gab. Manchmal war sie traurig: in ihrer Atemnot hatte sie husten müssen und das Schönste nicht gehört.

Der Bruder ihrer Ziehmutter war ein Priester, er brachte oft bunte Bildchen mit und auch die Bibel und Heiligengeschichten, die das Mädchen nicht lesen konnte ... Aber die Bilder konnte sie betrachten, die schönen Bilder mit der Heiligen Mutter Maria im weißen Gewande, mit den Rosenornamenten, die ihr fromme Maler zu Häupten gesetzt hatten, und sie sah sich diese Bilder gern an. Das, was ihr die Priester an solchen Winterabenden erzählten, war ihr geistiges Leben; denn sie war noch nicht eingesegnet und wußte nichts von Religion als diese vagen und frömmelnden Historien. Da war von Gott-Vater die Rede, von der Heiligen Jungfrau, von Jesus und von der Dreieinigkeit und wohl auch von der unbefleckten Empfängnis.

Denn drei Jahre vorher, am 8. Dezember 1854, war von Pius IX. das Dogma der conceptio immaculata verkündet worden, das beinah so viel Aufsehen gemacht hat wie das von der Unfehlbarkeit des Papstes. Diese Tatsache wird in der gesamten populären Bernadette-Literatur verschwiegen. Wir werden sehen, warum.

Am Donnerstag, dem 11. Februar 1858, fror es in Lourdes, der Himmel war grau, die Bauern machten, daß sie ihre Arbeit draußen beendigten, und beeilten sich, in die Hütten an den Herd zu kommen. Der Müller Soubirous brauchte sich nicht zu beeilen: es war kein Holz im Hause. Die Kinder sollten Holz holen. Bernadette ging in die Kälte hinaus, ihre jüngere Schwester Toinette und eine Freundin, Jeanne Abadie, begleiteten sie. Die drei stiegen an den Abhängen herum, überquerten den Bach, der jetzt, abgeleitet, am Eisenbahndamm entlangfließt, und kamen schließlich in die Grotte. Winterstille und Geriesel von trocknem Laub. Da hörte Bernadette ein dumpfes Geräusch. Sie hob den Kopf...

«Ich konnte nichts mehr sagen, und ich wußte gar nicht, was ich denken sollte, denn als ich den Kopf zur Grotte wendete, sah ich an der Felsöffnung einen Busch, aber nur einen, hin- und herschwanken, wie wenn großer Wind wäre. Beinah zu gleicher Zeit kam innen aus der Grotte eine goldene Wolke und danach eine junge und schöne Dame, so schön, wie ich niemals eine gesehen hatte. Sie stellte sich an der Öffnung auf, oberhalb des Buschs. Sie sah mich an, lächelte und machte mir ein Zeichen, näher zu kommen, grade wie wenn sie meine Mutter wäre.»

Die beiden kleinen Begleiterinnen hatten nichts gesehen, nur Bernadette allein. Erst war es in ihren Berichten ‹etwas Weißes›, dann eine Dame, dann eine wunderschöne Dame, mit weißem Gewand, blauem Gürtel und gelben Rosen zu Füßen — aber die sprach zunächst nicht, sie lächelte, Bernadette ging immer wieder in die Grotte. Die Mutter wollte das nicht. Die Grotte stand in keinem guten Ruf, Liebespaare pflegten sich dort zu verstecken, und wenn man wieder einmal am Morgen leere Flaschen und sonstige schöne Sachen dort gefunden hatte, stießen sich die Bauern in die Rippen und grinsten: «Heute nacht haben sie wieder Dummheiten in der Grotte gemacht!» Aber Bernadette ging wieder und wieder hin. ‹Sie› erschien ihr achtzehnmal.

Beim drittenmal sprach die Dame. Sie bat die Kleine, während vierzehn Tagen in die Grotte zu kommen. Bernadette versprach das. Und dann: «Trink aus der Quelle und wasch dich in dem Wasser!» Es war aber keine Quelle da, das Kind kratzte die Erde auf, da lief ein dünnes Rinnsal über die Erde. Die Wunderquelle war geboren. Und später: «Sage den Priestern: sie sollen hier eine Kapelle bauen und in Prozessionen hierherkommen!» Und nun auf inständige Fragen, endlich, endlich: «Ich bin die conceptio immaculata.» Die Dame sprach das bäurische Platt. «Qué soy ér'

Immaculada Councepsiou.» Und da war Bernadette schon nicht mehr allein.

Die Sache war durchgesickert, die Polizei mischte sich ein, mißtrauisch, liberal, halb aufgeklärt und durchaus dagegen. Der Priester des Orts war vorsichtig, skeptisch, außerordentlich klug. «Ein Wunder!» verlangte er als Bekräftigung, «ein Wunder!» Und vor der Namensgebung: «Sage deiner Dame, daß ich sie nicht kenne — sie solle sich vorstellen.» Sie stellte sich vor, und nach jeder Halluzination wurde das Publikum größer, der Glaube stärker, die Legendenbildung wilder.

Bei alledem hat man sich die kleine Bernadette als ein bescheidenes, artiges, schwächliches Kind zu denken, das kein Wesens aus der Sache machte. Sie hatte einen schweren Stand: der Geistliche wollte nicht heran, die Polizei drohte sie einzusperren, wenn dieser Unfug nicht aufhöre, und das Dorf verlangte seine Wunder. Ein alter Abbé, der als kleiner Junge sie noch gekannt hat, zeigte mir in Lourdes eine Fotografie, die angeblich an der Grotte während der Ekstase aufgenommen sein soll — ein offenbar gestelltes Bild, ohne jeden visionären Zug in dem kleinen Bauerngesicht. Das arme Ding, mit seinen Läusen unter dem Kopftuch, bekam von allen Seiten zugesetzt, es prasselte nur so auf sie herunter: Klagen, Bitten, Beschwörungen, Segenswünsche... Schon wollten einige durch Handauflegen von ihr geheilt werden.

Ein Zug, ein einziger in diesen zahllosen Berichten, ist rührend, er zeigt, wie tief sich die Halluzination in das Kind eingefressen hat und beweist ihre wirkliche Herzensunschuld. Sie hatte dem Steuereinnehmer Estrade und seiner Schwester ihre Geschichte erzählt. «Also, die Dame bat mich, vierzehn Tage lang in die Grotte zu kommen.» — «Sag einmal genau, wie sie gesprochen hat!» sagte der Steuereinnehmer. «Die Dame sagte: Wollen Sie so gut sein...» Und hier unterbrach sich Bernadette, senkte den Kopf und flüsterte: «Die Madonna hat Sie zu mir gesagt...»

Und nun gings los.

Die Presse nahm sich der Affäre an, Artikel für und wider setzten ein ohne Ende, und die Polizei ließ die Grotte mit Brettern versperren. Die Gegend stand auf dem Kopf.

«Ein Wunder! Ein echtes Wunder! Hat sie nicht von der conceptio immaculata gesprochen? Aber das Kind hat das Wort nie gehört, kann es gar nicht gehört haben!» — Die Bernadette-Literatur legt auf diesen Punkt den allergrößten Wert. Man könne nichts als Erinnerungen produzieren, während man halluziniere, sagen sie, was falsch ist — dieses schwierige Wort und der noch kompliziertere Begriff seien dem Kinde unbekannt gewesen. Nein, das waren sie nicht. Man wird nun verstehen, warum die Bernadette-Traktätchen so ängstlich darüber schweigen, daß das Dogma schon drei Jahre, ex cathedra verkündet, vorgelegen hat. Es war also nicht nur möglich, sondern höchst wahrscheinlich, daß das Kind diesen Ausdruck von den Priestern aufgeschnappt hatte, ohne zu begreifen. Und man weiß, wie Latein auf die wirkt, die es nicht verstehen.

Die Grotte gesperrt? Streik der Bauarbeiter, Rumor unter den Bauern, die Grotte mußte wieder geöffnet werden. Bis zum Kaiser drang der Lärm, denn nun war aus den Halluzinationen eines kranken Kindes eine politische Affäre geworden. Kulturkampf? Napoleon III. tat das, was er immer getan hatte: er zögerte. Aber die Kaiserin lag ihm in den Ohren, es war das wohl auch kein casus belli, die innere Politik erheischte Frieden ... er gab nach. Der Polizeikommissar wurde versetzt, der Präfekt von Tarbes wurde versetzt — das Land hatte sein Wunder. Die ersten Heilungen wurden ausgerufen.

Denn die Quelle war da, das war kein Zweifel. Jetzt war es eine große Quelle geworden: sie gab zwölfhundert Hektoliter am Tage her. Nun glauben sogar die orthodoxesten Katholiken nicht, daß Bernadette dieses Wasser aus dem Nichts gerufen habe. Der Abbé Richard hielt schon im Jahre 1879 dafür, daß nicht das Kind die Quelle erschaffen habe, sondern Gott — die Kleine habe nur durch das Wunder eine bestehende Quelle entdeckt. Leute, die mit einer Wünschelrute umgehen, wissen, wie manche Personen auf Wasser, Metalle und Steinarten reagieren.

Herr Fabisch aus Lyon fabrizierte eine Statue der Jungfrau, eben jene, die heute noch in der Grotte steht. Er ließ sich von Bernadette die Erscheinung beschreiben, war tiefgerührt von der weichen Frömmigkeit der Kleinen und lieferte das Äußerste an Talentlosigkeit. Die Statue hat siebentausend Francs gekostet, genau die gleiche Summe zuviel. Als man Bernadette das Werk zeigte, lief sie zunächst fort, ein beachtliches und gutes Zeichen von Kunstverstand. Dann wurde sie beruhigt, noch einmal an die Figur herangeführt, die aussieht, wie wenn sie aus Seife wäre, und man fragte sie: «Ist das deine Jungfrau, so, wie du sie gesehen hast?» — Und sie: «Keine Spur.» Aber Fabisch kassierte ein, und die Priester aus Lourdes stellten auf.

Bernadette hatte kein Glück mit den Statuen. In der Ordenskapelle der Schwestern von Nevers zu Lourdes steht eine, von der hat sie gesagt: «C'est la moins laide de toutes!»

Diese Madonna steht da, wo die Kleine bei den Schwestern im Klostergarten herumgehüpft ist, und die Oberin zeigte mir Kloster, Säulenhalle, Garten und eben diese Kapelle. Wenn die kluge und energisch aussehende Frau von Bernadette und ihren Wundertaten berichtete, glaubte man, eine Walze rolle ab. Sie sprach wie ein Museumserklärer. Sie hatte das wohl schon so oft erzählt... Diesen eingelernten Eindruck machten übrigens viele Geschichten, die ich in Lourdes zu hören bekam.

Bernadette blieb bei ihrer Familie, und als sie es dort nicht mehr ertragen konnte vor Besuchern, Fragen, Verhören, Freunden und Feinden, die sie alle, alle sehen wollten, als sie immer und immer wieder ihren Bericht erzählen mußte, brachte man sie ins Hospital. Das hatte noch einen andern guten Grund: das Mädchen kränkelte. Im Krankenhaus wurde sie zunächst gepflegt, die Besuche wurden ferngehalten, später verrichtete sie Arbeiten in der Küche und machte sich auch sonst nützlich.

Die Kirche rechnet mit Jahrhunderten und in eiligen Fällen mit Jahren. Erst vier Jahre nach diesen Erscheinungen, am 18. Januar 1862, erschien der große Hirtenbrief des Bischofs von Tarbes, des Monseigneur Bertrand-Sévère. «Ja», sagte der Brief.

Kollekten, Gläubige, Kirchenbauten, Zusammenlauf aus aller Welt. Die Pilgerzüge setzen in voller Stärke ein. Im Jahre 1867 waren es schon 28 000 Menschen, die kamen. Das Wunder war im Gang.

Das ging nicht ohne die bösesten Zänkereien ab. Der Curé von Lourdes bekam den Monseigneur-Titel, aber das tröstete ihn wenig, er fühlte sich zurückgesetzt; Prozesse prasselten, die Orden bekriegten sich bis aufs Messer, warfen einander Habsucht, Neid, Mißgunst und übergroße Geschäftstüchtigkeit vor, und auch die Einwohner wüteten umher. Die Kirche hatte in kluger Voraussicht die Grundstücke gekauft, die der Grotte gegenüberlagen, um alle neugierige Nachbarschaft zu vermeiden. Welches Geschäft war den Lourdesen da aus der Nase gegangen! Was wäre das gewesen! ‹Hotelzimmer mit direkter Aussicht auf die Wundergrotte und alle Zeremonien! Abends Dancing!› Ein Jammer. Es roch nicht gut zum Himmel, was da aufstieg.

Und dann war da diese kleine Bernadette, die der Anstrom der Neugierigen immer noch suchte. Eine unangenehme Konkurrenz, dieses Werkzeug Gottes... Sie durfte fernerhin nicht mehr in Lourdes leben, vor allem: unter gar keinen Umständen durfte sie dort begraben liegen. Nur keine Ablenkung! Sie lebte auch nicht mehr da, sie starb nicht da. Man hat sie nach Nevers gebracht, einer kleinen Stadt südöstlich von Orléans, in das Mutterkloster des Ordens des Soeurs de la Charité de Nevers, und dort erlosch sie im Alter von fünfunddreißig Jahren. Sie hat keine Wunder mehr angezeigt und auch keines tun wollen, sie war eine schwächliche Person, die in Ruhe leben und sterben wollte. Sie ist sehr krank gewesen.

Jetzt, zu ihrer Seligsprechung im vorigen Jahr, haben sie sie exhumiert: der Körper war gut erhalten, ihr linkes Auge, das der Erscheinung zugewendet war, soll offen gewesen sein, ihr Grab so nach Blumen geduftet haben, daß, wie in Lourdes erzählt wird, Briefe, die dort gelegen hatten, dufteten... Man hat sie in einem Glassarg ausgestellt, es kommen viele Gläubige. Ich habe eine Reliquie geschenkt bekommen, ein Stückchen von ihrem Totengewand.

Eine Heilige —? Noch nicht.

In Lourdes wird ein alter Mann aufbewahrt, es ist ihr Bruder, der einen Andenkenladen gehabt und sich vorzeitig vom Geschäft zurückgezogen hat. Er empfängt viele Besuche, will aber keine haben — er ist ein stiller und ruhiger, etwas bäurischer Mensch. Nein, ich habe sein Ruhebedürfnis geehrt und ihn in Frieden gelassen. Er weiß auch nicht viel von damals zu vermelden — er war sieben Jahre alt, als Bernadette ihre Erscheinungen hatte. Aber wenn er einmal gestorben sein wird und wenn alle persönlichen Erinnerungen verflogen sind, wenn die Gestalt der kleinen Bernadette weit, weit hinten im grauen Nebel der Geschichte verschwindet —: dann wird sie heilig gesprochen werden. Die Kirche ist so klug...

Denn über Bernadette Soubirous, die Müllerstochter, kann man heute noch kleine persönliche Bemerkungen machen, *sie ist zu nah* —. Jeanne d'Arc aber ist heilig und entlockt selbst einem so wilden Spötter wie Bernard Shaw — außen Stacheldraht, innen Gummibonbon — ein schönes Pathos.

Das ist die Geschichte der seligen Bernadette, zu der Hunderttausende in Lourdes beten. Tagaus, tagein... Aber immer andere. Denn das ist das Gefährliche an der Sache: tagaus, tagein darf man dergleichen nicht sehen. Der Mechanismus wird sichtbar.

Jede Pèlerinage ist höchstens vier, fünf Tage in Lourdes, und das ist sehr gut eingerichtet. Längerer Aufenthalt geht auf Kosten der Intensität. Man sieht zu viel.

Man sieht:

Die Ausstattung in den Kirchen. «Aber das übersteigt die kühnsten Träume. Mit Kunst, selbst mit Kunst in ihrer niedrigsten Entartung, hat das hier überhaupt nichts zu tun. Das ist nicht einmal schlecht...» Nein, es ist grauslich. «Das ist alles so häßlich! Wenn es wenigstens naiv wäre — aber leider: grade das ist es nicht.» Das sagt ein Freigeist? Ein frecher Aufklärichtsmann? Ein Kerl, der vom Katholischen nichts versteht —? Ach, es ist J.-K. Huysmans,

dessen ‹A rebours› Oscar Wilde zum Dorian Gray angeregt hat;
der in den Schoß der Kirche Zurückgekehrte, der reuige Sünder.
Und der muß es ja wissen. Er erklärt uns auch den Jammer dieser
Geschmacklosigkeiten.

«Unzweifelhaft: solche Attentate können nur den rachsüchtigen
Possen des Dämons zugeschrieben werden. Es ist das seine Rache
gegen die, die er verabscheut . . .» Sein Buch ‹Les Foules de Lourdes›, eines der interessantesten Dokumente über diese Stadt, ist
das Zeichen eines beklagenswerten Geisteszustandes, mit vielen
lichten Momenten. Er beobachtet außerordentlich scharf, aber alle
seine Schlußfolgerungen sind falsch. Der Teufel —? Hier irrt der
Großvater Dorian Grays; es ist nicht der Teufel, der Lourdes so
scheußlich gemacht hat. Es ist der Bürger.

Lourdes ist ein einziger Anachronismus.

Diese organisierten Pilgerzüge mit der Eisenbahn und dem ermäßigten Billett, diese elektrisch erleuchtete Kirche, die aussieht
wie ein Vergnügungslokal auf dem Montmartre, der grauenhafte
Schund, der da vorherrscht, nicht nur in den dummen Läden, sondern in den Kirchen selbst, diese unfromm bestellten Altäre, Schrei-
ne, Ornamente, Decken und Beleuchtungskörper —: mit Industrie-
arbeit ist das eben nicht zu machen. In Carcassonne steht in der
Kathedrale ein altes Taufbecken, das ist siebenhundert Jahre alt,
und man möchte davor knien, so fromm ist es. Aber der, der es
gemetzt hat, hat geglaubt, er hat seinen Glauben in den Stein ver-
senkt; er machte ein Geschäft, indem er es lieferte, gewiß — aber
es war doch ein Taufbecken, und der Mann wußte sehr wohl, was
er da unter den Händen hatte und was es galt. Heute —? ‹Und lie-
fern wir Ihnen einen Posten Ia Qualität Taufbecken zu besonders
kulanten Bedingungen.› Es ist aus. Die kirchliche Kunst kopiert
sich selber, und wenns gut geht, sind die Kopien wenigstens an-
ständig. Die Versuche, zu modernisieren, mißlingen kläglich —
zwischen Erfrischungsraum im Warenhaus und Bahnhofshalle ist
da keine Dummheit ausgelassen. Gefühle kann man nicht fabri-
zieren.

Sind daran nicht die Juden schuld? Daran sind die Juden schuld.
Huysmans: «Die Priester sollten daran denken, wie sehr heutzutage das jüdische Element unter den Verkäufern von frommen Andenken dominiert. Getauft oder nicht: es hat den Anschein, als ob
diese Kaufleute neben der Sucht, Geld zu verdienen, nun auch das
unfreiwillige Bedürfnis verspüren, den Messias noch einmal zu
verraten: indem sie ihn in einer Gestalt verkaufen, die ihnen der
Teufel eingeblasen hat.» Da kann man nichts machen.

Solch ein Wunderglaube, dessen Form die absolute Herrschaft

der Kirche zur Voraussetzung hat, ihre Herrschaft besonders über die Finanzmächte der Länder — und ihm gegenüber diese Zeit: es ist eine Dissonanz der Epochen, die hier aufeinanderstoßen. Es klingt nicht. Und Kunstwerke bringt so etwas schon gar nicht hervor.

Und weil alles auf der Welt ein greifbares Symbol findet, so leuchtet zwar abends die Basilika, oben strahlt das Kreuz in der Luft auf dem fernen Berge — aber heller als alles andre brennt eine Flammenzeile im dunklen Nachthimmel:

HOTEL ROYAL

Unten klingt das Credo. Keine Zeit hat solche Sehnsucht nach Verkleidung wie die, die keine hat.

Ja, man sieht zu viel. Treibe dich vierzehn Tage in der Stadt herum, und du fühlst nie mehr nasse Augen, aber manchmal ein verdächtiges Zucken im Gesicht. In den Läden klingelt das Ave Maria, das einmal so schön geklungen hat, im Bauch von heiligen Jungfrauen, die man innen erleuchten kann; Ansichtskarten, Bilder, Rosenkränze sind von auserlesener Scheußlichkeit... Nebenerscheinungen? Ich weiß doch nicht. Die Pilger fassens nicht so auf. Und während ich mich in Rumänien so oft gefragt habe: «Wo, in aller Welt, kann man nur einen solchen ausgemachten Plunder kaufen?» — jetzt weiß ich es.

Ich sehe:

Die fetten Bischöfe, die hier Gastspiele geben, und die andern, die hier zu Hause sind — man sagt ihnen Schauspielergesichter nach, aber man müßte das differenzieren. Da gibt es ältere Heldenspieler, denen das Tripelkinn tragisch auf das Ornat fällt, da gibt es Bonvivants und Väterrollen, und einer sah aus wie ein listiger, verschmitzter Komiker — es hätte mich keinen Augenblick gewundert, wenn er die Soutane an zwei Zipfel angefaßt und ein Couplet getanzt hätte. Ich gehe durch die Verkäufer am Gitter, wo sich der dürre Gebetlaut von drinnen fortsetzt, aber hier ist es kein Latein, sondern: «Les cierges — les cierges — les cierges —» und «Vanillevanillevanille...» Soll ich ihnen etwas abkaufen? Wenn ich sparsam sein will, tue ichs nicht. Denn im Hotel hing eine Tafel.

Pilger ... welch altes, schweres Wort. Man denkt an Männer mit Bärten und großen Stöcken, mit einem Bettelsack und einem Heiligenschein um den Kopf... «Die Herren Pilger», stand im Hotel, «die ihre Einkäufe an Andenken im Laden des Hotels machen, erhalten eine Ermäßigung von 50 Prozent.» Hierauf sehn sich freudig an Pilgerin und Pilgersmann.

Und ich sehe: die Brancardiers.

Die Krankenträger leisten eine aufopfernde Arbeit. Es sind sämtlich Freiwillige, sie bekommen keinen Franc Bezahlung. Ihr Dienst ist unendlich ermüdend, er erfordert sehr viel Körperkraft, sehr viel Geduld, sehr viel Hingabe. Ihr Benehmen zu den Kranken ist rührend. Aber der angenehme Umstand, daß in allen Prozessionen und bei allen Veranstaltungen niemals ein Schutzmann zu sehen ist, wird dadurch aufgewogen, daß gewisse Träger sich schlimmer benehmen als acht Polizisten zusammen. Sie teilen ein und ordnen an, sie geben Befehle und sind nervös, lassen die Kranken in Frieden, aber treiben die Gesunden zu Scharen, obgleich das gar nicht nötig wäre — kurz: manche unter ihnen spielen die Rolle des dummen August, der herumwirtschaftet, während andre arbeiten. Da waren so schnurrbartgezwirbelte Gesichter, die krähten — Huysmans hat mal einen sagen hören: «Wir werden jetzt die Heilige Kommunion austeilen!» Mir war sonderbar zumute, als ich sie herumtanzen sah — das hatte ich doch schon einmal im Leben gesehen ... «Il y a beaucoup d'anciens officiers parmi eux!» sagte mir ein Abbé. In Ordnung.

Über den Eisenbahndamm fahren die Züge, da flattern die weißen Tücher zur Begrüßung und zum Abschied, und die Leute singen, nach dem Wort eines katholischen Dichters, während der Fahrt so schön falsch, nicht als ob es nach Lourdes, sondern als ob es ins Fegefeuer ginge.

Vieles hiervon steht bei Huysmans. Sein Fanatismus hat ihn, den Frischbekehrten und also lächerlich Überhitzten, nicht gehindert, in Lourdes die Augen aufzumachen. Auf einen Teil der schwarzen Flecke hat er mich erst aufmerksam gemacht, und wenn ich zögerte, mir Luft zu machen, so stärkte mich ein Blick in sein Buch. Da stands noch viel schlimmer. Aber freilich: er glaubte an das Wunder.

Sein Resümé sieht so aus:

«Das steht fest: in Lourdes erreichen wir die letzten Niederungen der Frömmigkeit.» Sowie: «Lourdes ist ein riesiges Krankenhaus auf einem ungeheuren Jahrmarkt. Nirgends sonst gibt es einen solchen Tiefstand von Frömmigkeit, von Fetischismus bis zu postlagernden Briefen an die heilige Jungfrau ...»

Man darf nicht verweilen. Man sieht zu viel. Doch nirgends Betrunkene, nirgends Leute, die in den Lokalen juchhein.

Tagaus, tagein Prozessionen, Menschenversammlungen, Fackelzüge ... nach dem achten Mal spürt man die treibende Macht und die Räder.

Und zu allen diesen Prozessionen, Menschenanhäufungen, Fakkelzügen ist zu sagen, daß meine Generation den Krieg gesehen hat, wo sich oft Zehntausende auf einem Platz zusammenballten oder im Karree aufgestellt waren — zur Schlachtung. Der Respekt vor der Quantität an sich ist vorbei. Und wenn es nicht meine eigne Sache ist, die da durch eine Menschenmenge gefördert oder bekämpft wird, wenn es mich nicht berührt, was die vielen Lichter aufflammen läßt — dann greift es mir nicht ans Herz, und ich würde lügen, wenn ich mich in den Strom der Begeisterung stürzte. Das Faktum allein, daß dreißig- oder vierzigtausend Menschen zusammenkommen, ist mir gleichgültig. Ja, wenn es der Weltfriede wäre, den sie da mit Gesang und Fackellicht verlangten! Wenn es ein einziger tobender Protest gegen den staatlichen Massenmord wäre, erhoben von Müttern, Witwen, Waisen ... ich hätte wahrscheinlich geweint wie ein kleines Kind. So aber schlug die Quantität nicht in die Qualität um.

Man sieht zu viel. Man sieht, bei längerm Aufenthalt, wie es gemacht wird, sieht am Häuschen hinter der Basilika die Aufschrift ‹Hommes› — ‹Femmes› und ‹Cabinets Reservés›, woraus also zu schließen wäre, daß die Geistlichen, denen man sie reserviert hat, weder Männchen noch Weibchen sind ... Man sieht die Kinoplakate an den Ecken, Fanale eines unentrinnbaren Zeitalters. Dies ist anders als der Jahrmarkt, der auch im Mittelalter jede religiöse Zeremonie und jede Hinrichtung begleitet hat. Dies hier ist mehr, selbständig richtet es sich neben der Kirche auf. Mady Christians, muß ich hier dich wiederfinden —? Wahrhaftig: da hingst du.

Oh, man hat auch religiöse Filme. Da läuft zum Beispiel ein Bernadette-Film, der in seiner Herstellung, mit seinen Schauspielern und Dekorationen an die dunkeln Filme gemahnt, die man vor dem Kriege in Budapest herzustellen pflegte ... Es ist über die Maßen schauerlich. Der Vortrag des jungen Abbé aber ist es gar nicht, und die Worte, die er zum Film spricht, stehen an Geschicklichkeit, berechneter Wirkung und Wirksamkeit tausendmal über dem Schund. Man will übrigens einen neuen Bernadette-Film herstellen. Der Abbé läßt es nicht an freundlichen Beschimpfungen derer fehlen, die nicht an Wunder glauben, und fordert jeden auf, ungestört seine gegnerische Meinung hier zum Ausdruck zu bringen. Kenner der Materie entsinnen sich des Geschreis, das es einmal gegeben hat, als die französischen Freimaurer als Demonstration einen ihrer Kongresse in Lourdes abhalten wollten. In solchen Fällen ist ja wohl der Staat nicht in der Lage, die öffentliche Ordnung zu garantieren ...

Und wenn man diesen Film hinter sich hat, darf man das ‹Römische Museum› ansehen, ein Wachsfigurenkabinett mit wilden

Löwen, zerrissenen Christen und einem herrlichen Erklärer. Er redete wie eine Gebetmühle. Der Bruder der seligen Bernadette sei zwar kein Römer, aber er kenne ihn sehr gut: der Mann habe seine Schwester niemals richtig geschätzt, nein, nein. Da sagen sie, sie liege in Nevers begraben ... Er, der Erklärer, wisse mehr — er dürfe nur noch nicht darüber reden. Das ist schade.

Die einzig wirkliche Erholung sieht anders aus. Oben, auf einer Anhöhe, liegt das Schloß und darin das Pyrenäische Museum. Es ist das schönste Museum, das ich in diesen Bergen gesehen habe — weil es klug angelegt ist. Französische Provinzmuseen stehn auf keiner sehr hohen Stufe, sie haben herrliche Kunstwerke, aber die Stücke werden nicht immer gut präsentiert. Hier in Lourdes aber hat ein kunst- und landeskundiger Mann, Herr Le Bondidier, die bäuerlichen Gerätschaften, die Bilder, gute Diapositive, Bücher und Kinderspielzeug, Pilgermünzen und Andenken so fein geordnet und mit einer solchen Liebe aufgebaut, daß einem das Herz im Leibe lacht. Ich konnte mich gar nicht trennen. Die kleinen Burgzimmerchen haben Nummern, die den Besucher ohne Katalog automatisch durch das ganze Schloß führen, und was man sieht, geht einen etwas an, steht hübsch da, langweilt nicht.

Herrn Le Bondidier habe ich in seinem Büro besucht. Er erinnert im Aussehen — o ihr Rassenphysiologen! — an Wilhelm Raabe. Er darf sich rühmen, die schönste Aussicht von ganz Lourdes zu besitzen: sein Arbeitszimmer sieht grade auf die Basilika — drei riesige große Fensterbögen zeigen ihm von hoch oben Kirche, Massen, Prozessionen und Fackelzüge. Die Wände sind mit hellbraun getöntem Holz getäfelt, bunte baskische Bilder hängen da ... endlich, endlich einmal einer, der nicht im Directoire-Stil sitzt und nicht in Louis I—XVI. Als der hochgewachsene Mann, von dem im Museum eine lustige Karikatur als Bergsteiger, der alles bei sich hat, hängt, das Zimmer einen Augenblick verläßt, sehe ich auf die Bilder an den Wänden und finde etwas. Da reitet ein dunkler Reiter durch blutige Nacht, hinter ihm ballen sich erschreckte Massen, der Reiter hat etwas auf dem Kopf, das ist ein Kürassierhelm, und als ich genauer hinsehe, entdecke ich die zwei Schnurrbartspitzen, ‹Kain› steht darunter. Es ist immer hübsch, wenn ein Volk durch seine Fürsten gut im Ausland repräsentiert wird.

Und wieder hinunter nach Lourdes.

Da rollt der Betrieb ab, der kirchliche und der kaufmännische. Bei Huysmans habe ich gelernt, daß es Ungläubige und Freimaurer aller Grade sind, die da ihre Geschäfte machen, es soll ganz schrecklich sein. Aber diese wilde Rotte nimmt den Pilger nicht einmal sehr hoch; die Preise sind nirgends unverschämt, wenn auch nicht niedrig. Selbst die Stadt will ihre Position nicht ausnutzen: sie beansprucht keine Beherbergungssteuer (taxe de séjour), verzichtet so auf Millionen und ist nur eine mäßig begüterte Gemeinde. Das hat seinen Grund:

Lourdes ist eine Stadt der kleinen Leute.

Der Tourist ist sofort kenntlich — er gehört meistens, wie Tante Julla das nennt, den ‹besser gekleideten Ständen› an; in den Pilgerzügen aber dominieren Bauern und Küstenfischer der Bretagne und kleines und kleinstes Kleinbürgertum: Gärtner, Dienstmädchen, Portiers, kleine Beamte, Handwerker. Das sind nicht die Gesichter organisierter Industriearbeiter.

Und wenn die feinen Leute dabei sind, dann in so aufdringlicher und aufreizender Form ...

Nach dem Allerheiligsten in den Prozessionen gehen sie. Da sah ich den Herrn Grafen und den Herrn Baron und dessen Söhne und so vornehme Herrschaften ... Sie gingen in einer kleinen Gruppe, für sich: fromm, aber erster Klasse. Vor Gott sind alle gleich, gewiß, doch muß man das nicht übertreiben.

Es sind nun Leute von so vielen Nationen da, aber es ist immer derselbe Typus. Der bäuerliche, der kleinbürgerliche. Besonders die Frauen erinnern an Klatsch im Schlächterladen, an kleine Schneiderinnen, an Hebammen ... Jede Nation hat ihre Eigenart; jemand beklagt sich über die ‹Engländer, die alles für sich haben wollen, die besten Plätze, die Spitze bei den Prozessionen› — und die dann nach ein paar Tagen die ganze Geschichte satt bekommen und Ausflüge in die Umgebung machen. Polen, Italiener, Spanier, Belgier, Holländer, Franzosen vieler Provinzen ... es ist alles da. Und alle aus derselben Schicht.

Es riecht nach Muff, nach unaufgeräumten Schlafzimmern, nach jenem Typus, der in Europa nicht leben und nicht sterben kann, nach kleinem Mittelstand, *der nicht weiß, daß ers ist.*

Er bestimmt die Atmosphäre in Lourdes, er gibt das Tempo an, auf ihn sind Vergnügungen, Hotels, Romantik, Prozessionen zugeschnitten. Es ist die Stadt der kleinen Leute.

Aber die Heilung —?

4. Der Sardellenkopf

«Man kann auch zum Kopf einer Sardelle beten, es kommt nur auf den Glauben an.»

Japanisches Sprichwort

Durch eine Wallfahrt nach Lourdes kann man organische Krankheiten heilen. Das ist der Fundamentalsatz der Gläubigen.

Erklärt wird er nicht. Bewiesen werden soll er durch das Bureau des Constatations Médicales.

Dieses Bureau besteht aus einem Chefarzt sowie mehreren andern Ärzten, die in Kommissionssitzungen die Heilungen prüfen und späterhin beglaubigen. Fremde Ärzte werden mit der größten Bereitwilligkeit zugelassen; sie dürfen an allen Sitzungen teilnehmen und bekommen Einsicht in alle Akten.

Niemand wird gezwungen, sich dem Bureau vorzustellen — wer sich geheilt glaubt, stellt sich selbst vor.

Das Bureau des Constatations ist vorsichtig, die Presse ist es minder. Die klerikalen Blätter, deren Verkäufer auf den Straßen von Lourdes schreien wie die Wilden, sind mit einem Wunder schnell bei der Hand. Die ‹Annales de Lourdes› und ‹La Revue de Lourdes› sind ernster zu nehmen, doch strotzen beide von pseudowissenschaftlichem Ernst und zelotischem Eifer gegen die, so nicht glauben.

Sämtliche persönlichen Angriffe gegen die Mitglieder des Bureaus halte ich für falsch. Der törichte Vorwurf, sie seien bestochen, wird ja heutzutage kaum noch erhoben. Ganz abgesehen davon, daß die Ärzte, die dort tätig sind, den Eindruck rechtlicher und anständiger Männer machen und es sicherlich auch sind: bestechen . . .! Die katholische Kirche ist viel zu klug dazu. Nur der Unbegabte stiehlt, der Kluge macht Geldgeschäfte.

Es darf auch nicht gesagt werden, daß diese Ärzte etwa zu gutgläubig wären — die sehr kluge Praxis des Bureaus ist vielmehr Skepsis. Mächtige Waffe der katholischen Kirche gegen die Zweifler: dieses Bureau ist so streng in seiner Nachprüfung, daß die Kranken ihm den Spitznamen ‹Bureau des Contestations› gegeben haben: Bestreitungsbüro. Und hat nicht eine Frau nach langem ärztlichem Examen aufgeschrien: «Dieser Mensch, der mir da gegenübersitzt, ist sicherlich ein Freidenker — er glaubt nichts!» Der Mann war der verstorbene Chefarzt, Herr Boissarie, ein frommer Katholik.

«Lourdes . . . wer glaubt denn das schon —!» Die Sache ist wohl nicht damit abgetan, daß man durch die Nase bläst, ein in Norddeutschland sehr beliebtes Argument. «Ich kenne keinen Menschen, der noch solches Zeug . . .» Du kennst keinen? Aber du vergißt, daß es nicht die andern sind, die die Ausnahme bilden, sondern du, du selbst, Freigeist oder Faulgeist oder wirklich Überlegner — du bist es, der auf einer großen Insel sitzt. Nach Lourdes sind gewallfahrt:

1873	140 000
1883	213 000
1908	401 000

nach dem Kriege jährlich etwa 500 000–800 000 Menschen.

Das sind die Zahlen der offiziellen Wallfahrer; Einzelpilger, Touristen, Neugierige sind nicht einbegriffen. Bisher mögen etwa zwölf Millionen Pilger dort gewesen sein. Das ist ein Welterfolg.

Kommen nun in Lourdes übernatürliche Heilungen vor —?

Ich behaupte:

Das Bureau des Constatations ist in der Mehrzahl der Fälle überhaupt nicht in der Lage, eine Heilung festzustellen.

Die Konstatierung einer Heilung ist eine Vergleichung: die des Zustandes vor dem Wunder mit dem Zustand nach dem Wunder.

Nun: das Bureau kennt den Zustand vor dem Wunder gar nicht.

Da es undurchführbar wäre, die Hunderttausende von Kranken vor dem Bad in den ‹piscines› zu untersuchen, so stellt sich der angeblich Geheilte, den das Bureau jetzt zum ersten Mal zu sehen bekommt, mit einem Attest vor. Der Geheilte kommt also mit dem Zeugnis fremder Ärzte, die besagen, was ihm gefehlt hat. Nun untersucht das Bureau den Kranken nach der Heilung, es kennt also nur die eine Seite des Waagebalkens.

Denn wer sind diese attestierenden Ärzte? Professoren? Kleine Landdoktoren? Welchen wissenschaftlichen Wert haben ihre Gutachten? Wann sind diese Atteste ausgestellt?

Diese Atteste sind wochenlang vor der Heilung ausgestellt, in den seltensten Fällen eine Woche vorher. Aber jeder Kurpfuscher sieht seine Kranken vor und nach seinen Praktiken und ist wenigstens in den Zeitangaben gedeckt, wenn er sich bescheinigen läßt: «Nach Ihrer Behandlung fühle ich mich bedeutend besser.» Und die behandelnden Ärzte zu Hause sehen den Kranken erst nach Wochen wieder, frühestens nach einer — sie vermögen also wenig über eine exakte und sofortige Wirkung der Wallfahrt auszusagen.

Die Statistik ist so minutiös: sorgfältig gibt das Bureau des Constatations an, wieviel fremde und wieviel französische Ärzte dort gewesen sind . . . Aber das besagt gar nichts, denn sie können ja nichts sehen. Man öffnet ihnen alle Türen — aber es gibt wenig zu beobachten. Was sie untersuchen, sind kranke Männer und Frauen in einem bestimmten Zustand — was vorher war, wissen sie aus eigenem Augenschein nicht.

Die populäre Literatur wimmelt von Fotografien der Geheilten, eine Beweisführung, die etwa an die plattdeutschen Märchen denken läßt, in denen jemand vom Gnomenfürsten träumt, der da auf dem morschen Ast ritt und dann herunterpurzelte. «Und zum Beweis dessen, daß die Geschichte wahr ist — hier ist der Ast.»

Natürlich kämpfen die Lourdes-Leute wie die Mamelucken für ihre Sache. Und das ist nun ausnahmsweise kein Wunder. «Ce que l'amoureux fait pour sa maitresse», sagt Sighele einmal, «l'artiste le fait pour son art, le savant pour sa science, le sectaire pour la secte.» Und sie passen auf —! Ein kleiner Irrtum des Zweifelnden, ein Versehen des Kritikers im winzigsten Nebenumstand, und es erfolgt ein allgemeines Schütteln des Kopfes. Da seht ihrs! Der Mann ist nicht exakt, also nicht glaubwürdig, also haben wir recht. So wird hier gekämpft.

Worum wird gekämpft —?

Die offiziellen Zahlen der Heilungen sind verhältnismäßig klein.

1858	27	gänzlich unkontrolliert. Das
1864	3	Bureau besteht erst seit 1884
1874	31	
1883	145	
1893	101	
1903	133	

Die Zahl für 1924 wurde mit 22 angegeben. Im Jahre 1925 wird sie aller Voraussicht nach noch geringer sein.

Unter den Propagandaberichten finden sich ein paar besonders schöne Fälle.

Da ist Herr Gargam, der im Dezember 1899 bei einem Eisenbahnzusammenstoß böse verletzt wurde: Fleischwunden, Schlüsselbeinbruch, Lähmung und Muskelsteife des gesamten Unterkörpers vom Gürtel an. Man hat große Schwierigkeiten, ihn überhaupt zu ernähren. Die Schadensersatzklage gegen die Eisenbahngesellschaft Paris-Orléans führt zum obsiegenden Urteil: 3000 Francs jährliche Rente, die später auf 6000 erhöht wurde, sowie eine einmalige Auszahlung von 6000 Francs. Am 12. August 1901 verzichtet die Gesellschaft auf weitere Rechtsmittel und erklärt sich bereit, zu zahlen. Acht Tage später, am 20. August, ist Herr Gargam in Lourdes unter den Geheilten.

Da ist Frau Rouchel aus Metz, einer der bösesten Fälle von Lourdes. Die alte Frau litt an einem Lupus; ihr Gesicht war entsetzlich entstellt, es bestand aus einer einzigen Wunde. Sie kam am 4. September 1903 nach Lourdes; eine grauenhafte Qual, sie anzusehen, eine Plage für die Nachbarn. Die Wunde roch stark und eiterte. Sie wußte, daß sie allen lästig fiel und wollte nicht im Menschengetümmel bleiben, das stets vor ihr zurückwich; sie flüchtete sich in eine kleine Seitenkapelle der Kirche. Als das heilige Sakrament an ihr vorbeikam, fiel ihr Verband, mit Blut und Eiter getränkt, auf ihr Gebetbuch. Als sie ins Hospital zurückkam, war sie geheilt. Mirakel —!

Nachschrift: Frau Rouchel starb im Krankenhaus zu Bondecours mit völlig zerfressenem Gesicht. Und das war kein Lupus. Es war das tertiäre Stadium der Syphilis, von der ihr Arzt in dem Attest aus Gefälligkeit nichts gesagt hatte. Sie hatte beide Krankheiten. Die Geschichte machte in Metz einen Höllenspektakel, der Arzt wurde von seinen Kollegen fallen gelassen, die alle sehr wohl wußten, daß solche Erscheinungen des tertiären Stadiums oft ebenso rasch verschwinden, wie sie gekommen sind.

Und so gibt es noch viele schöne Fälle. ·

Die Kirche verlangt nun von einem Wunder, damit sie es als Wunder ansähe:

Es darf sich um keine nervöse Erkrankung handeln. Unmittelbarkeit der Heilung.

Der Ausschluß der Hysterischen ... das ist nicht immer so gewesen. Denn es ist ja unzweifelhaft, daß der größte Teil der Wunderheilungen im Mittelalter Neurastheniker, Hysteriker, Hysterische, Nervöse betroffen hat — gaben die sich für geheilt aus, so sah man sie als begnadet, ausersehen und durch Gott und die Jungfrau geheilt an. Seit die Wissenschaft dieses Feld besetzt hat, hat es die Kirche geräumt. Sehr früh schon — etwa um 1734 — hat der Kardinal Prospero Lambertini, der spätere Papst Benedikt XIV., davor gewarnt, Nervöse in die Wundergeschichten einzubeziehen. Was aber wäre, wenn die Psychologie und die Psychiatrie den nervösen Krankheiten nicht so nahegerückt wäre? Die Kirche nähme diese Kranken noch heute für sich in Anspruch.

Vorläufig schwerer angreifbar steht sie auf dem kleinern Feld, das ihr geblieben ist: auf der wunderbaren Heilung organisch Kranker. Da läßt sie sich nichts abhandeln. Sie verlangt nur die Unmittelbarkeit der Heilung.

Von einer Unmittelbarkeit kann nun zunächst in keinem Fall die Rede sein. Bechterew sagt einmal, als er in seiner ‹Bedeutung der Suggestion für das soziale Leben› von Wunderheilungen spricht: «Der Boden für zukünftige Heilungen beginnt sich bereits in dem Augenblick vorzubereiten, wo der Kranke zum erstenmal das Gerücht von der Wunderkraft des Heiligtums vernimmt und in seiner Seele der erste Hoffnungsfunke entfacht ist.» Reißt also ein aufgegebener und scheinbar unheilbarer Kranker seine letzte Willensreserve zusammen und beschließt, nach Lourdes zu gehen, so beginnt der seelische Prozeß in diesem Augenblick: wochen-, vielleicht monatelang vor der Reise. Das später ausgestellte Attest besagt wenig.

Nun tagt die Kommission in Lourdes. Aber was sind denn das für Ärzte —? Ich habe mehr als hundert Befunde und Bescheinigungen dieser Leute gelesen, und ich muß sagen, daß mir so etwas noch niemals unter die Finger gekommen ist. Sie haben eine Heilung unter den Augen, sie sehen sie, sie können die neu funktionierenden Organe befühlen, radiographieren — und sie setzen an den Schluß aller ihrer Zeugnisse: «Solche Heilungen kommen in der Medizin nicht vor — sie haben also übernatürlichen, keinen medizinischen Charakter.»

Das unglückselige Wort Richets von der Unwandelbarkeit der physikalisch-chemischen Gesetze, so recht ein Zeugnis von Kurzatmigkeit des Verstandes, flachstem Glauben an die Unfehlbarkeit der Wissenschaft und leiser Überheblichkeit, dieses noch dazu aus seinem Zusammenhang gerissene Wort hat denen in Lourdes grade noch gefehlt.

Und hierin gleicht Richet zu seinem Nachteil gar nicht den Theologen, und Rousseau hat allen Orthodoxen der Ratio dies ins Stammbuch geschrieben: «Tout au contraire des théologiens, les médicins et les philosophes n'admettent pour vrai que ce qu'ils peuvent expliquer, et font de leur intelligence la mesure des possibles.»

«Dieses Rückenmarksleiden wird niemals von uns geheilt — also ist es nicht heilbar. Ein Wunder! Ein Wunder!»

Ein Wunder von Ärzten.

Aber dann macht doch die Augen auf, wenn ihr dergleichen seht! Ihr habt solche Heilungen noch nie beobachtet? Dann steckt die Nase in die Bücher, lernt etwas und denkt nach, warum dennoch geheilt worden ist, auf welchem Wege, durch welche Einwirkungen ... Zu grobfingrig, um diese Gewebe aufzudröseln, transponieren sie Kräfte, die sie nicht kennen, nach außen, und die Mutter Maria steht in aller Pracht vor ihnen.

«Kräfte, die sie nicht kennen ...» Ach, dieses Wort darf man in Lourdes gar nicht aussprechen, ohne daß man von einem Hohngeschrei überfallen wird. Es gibt keine Kräfte, die wir nicht kennen! Das wäre ja noch schöner! Schwatzt nicht von unbekannten Kräften! Eben die sind Gott.

Nun habens ihnen die Gegner nicht so schwer gemacht.

Wundt: «Es hat keinen Sinn, alle seelischen Erscheinungen, von der normalen Assoziation und Assimilation an bis zu mehr oder minder phantastischen Illusionen und Sinnestäuschungen, unter dem Begriff der Suggestion zu vereinigen und diesen so zu einem Allerweltsbegriff zu machen, der, weil er alles bedeuten soll, in Wahrheit nichts mehr bedeutet. Das Wort ‹Suggestion› erklärt ja überhaupt nichts. Es gewinnt erst einen psychologischen Wert, wenn man die elementaren psychischen Prozesse aufzeigt, deren besondere Verbindung in diesem Ort zusammengefaßt wird.» Und weil das die Gegner so oft schuldig bleiben — deshalb haben es die Wundergläubigen so leicht.

Die katholische Wundererklärung, auch die durch die Ärzte, grade die durch die Ärzte, ist scholastisch durchgearbeitet. Bleibt zum Beispiel eine kleine Narbe vom alten Leiden übrig, so scheut sich doch ein erwachsener Mann nicht, das als ‹Signatur Gottes› anzusehen, gewissermaßen ein Fabrikzeichen: ‹Nur echt mit . . .›

Die Anschauungen, denen man in dieser katholischen Ärzteliteratur über Suggestion begegnet, sind zum Teil wahrhaft kindlich. Bertrin nimmt allen Ernstes das Diktum eines Laienhypnotiseurs auf, der ihm in Lourdes sagte: «In Lourdes gibt es überhaupt keine Suggestion. Die Priester, die die religiösen Beschwörungen vornehmen, denen die Menge respondiert, beten anstatt zu befehlen. So suggeriert man nichts.» Ich weiß nicht, wo der betreffende Herr hypnotisieren gelernt hat — aber ich möchte mich nicht von ihm behandeln lassen.

Eine der exaktesten Definitionen der Suggestion steht bei Bechterew. «Suggestion beruht auf unmittelbarer Überimpfung bestimmter Seelenzustände von Person auf Person mit Umgehung des Willens, ja, nicht selten auch des Bewußtseins des Aufnehmenden.» Und: «Nicht durch den Haupteingang, sondern sozusagen von der Hintertreppe aus gelangt der Eindruck . . . unmittelbar in die innern Gemächer der Seele.» Die Definitionen von Liébault, Löwenfeld, Forel, Wundt, Binet und den großen Franzosen erreichen das nicht an Klarheit — wetteifern kann nur noch Moll, bei dem es etwa heißt, Suggestion sei der Fall, wo eine Wirkung dadurch bedingt wird, daß man die Vorstellung ihres Eintretens erweckt. Und das ist der Fall Lourdes.

Wird nun hier ‹ohne Mithilfe von Logik› suggeriert, wie Bechterew das als typisch angibt —? Viel klüger: es wird mit einer Scheinlogik gearbeitet. Die Legende der seligen Bernadette, die Geschichte der Wunderheilungen, ihre etwas mystische Theorie, die da auf Erklärung verzichtet, wo man Erklärungen wünscht, und so das schöne Halbdunkel erzeugt, in dem der Glaube gedeiht — das alles greift ineinander wie die Zähne eines Räderwerks, und diese Wissenschaft für die kleinen Leute geht denen ein wie Öl. Die Kleriker haben auf alle Angriffe einen Einwand, für jeden Beweis einen Gegenbeweis, und es ist wie mit den Juristen: folgt man ihnen erst einmal auf diesen Morastboden der Klopffechterei, dann ist alles verloren. Sie nennen das beide — Kirche und Rechtswissenschaft —: die Gesetze der Vernunft. Und vergessen nur, daß sie stets herausinterpretieren, was sie vorher stillschweigend hineininterpretiert haben.

Nun ist aber Suggestion kein krankhafter Vorgang, sondern etwas dem menschlichen Leben durchaus Natürliches, eine Sache, mit der die Gesellschaft steht und fällt; ohne Suggestion ist kein Zusammenleben denkbar. Diese Spezialsuggestion von Lourdes setzt zunächst die Behauptung in die Voraussetzung, supponiert den Gott, den sie ja grade beweisen will, und appelliert außerdem an viel tiefere Instinkte.

«Unser ganzes Bestreben geht danach, geliebt, bewundert, beneidet oder wenigstens bemitleidet zu werden, ... die Gedankenwelt andrer zu bevölkern, die uns lieb sind oder die uns imponieren.» (Gleichen-Rußwurm.) Das ist es. Es ist der Geltungsdrang.

Ich habe im Bureau des Constatations ein junges Mädchen gesehen, das wollte sich eine Wunderheilung attestieren lassen. Die Unterhaltung war der Typus eines Kuhhandels. «Tun Sies doch, Herr Doktor!» — «Eine gewöhnliche Besserung von Sodbrennen — das genügt nicht, Fräulein!» Die Augen des Mädchens glänzten, sie hatte einen puterroten Kopf und kämpfte um ihr Leben. Draußen hatten sie eben eine scheinbar Geheilte vorbeigetragen, das Klatschen und die begeisterten Zurufe lagen noch in der Luft ... sie auch! sie auch! Eine Rolle spielen, bewundert werden, auserlesen sein unter Tausenden ... sie auch! Sie entfernte sich, enttäuscht, gekränkt, in ihren tiefsten religiösen Gefühlen getroffen, wie nach einem verlornen Gefecht.

Aber suggeriert der behandelnde Arzt nicht auch? Hypnotisiert er nicht? Ist nicht ein Teil seiner Wirkung eingestandenermaßen in seiner persönlichen Suggestion zu suchen?

Und hier scheint mir Zola, der mitgedacht wird, wenn Lourdes gedacht wird (was nach einem Raabeschen Wort ‹Ruhm› bedeutet) — hier scheint mir dieser tapfere und wirkungsvollste Vorkämpfer, dessen Roman in Deutschland berühmter ist als bekannt, einen Schuß nicht abgefeuert zu haben. Wie haben sie ihn bespien! Wer erinnert sich nicht noch des Unflats, der bei den Frommen aufdampfte, als er tödlich verunglückte! Sie haben ihm sogar vorgeworfen, er habe in ‹Lourdes› die Geistlichen beschimpft, wofür es keine Stelle als Beleg gibt ... Nein, es sitzt anderswo. Das Wort ‹Suggestion› reicht in der Tat nicht aus.

Die Literatur über das Individuum in der Masse ist klein. Ganz zu schweigen von Experimentalpsychologen, deren lächerlichste Vertreter an Apparaten herumhantieren und Versuchsreihen aufstellen, die so lang sind wie ihr Instinkt kurz — es ist auch grundfalsch, die Natur der Massenerscheinungen am Individuum zu studieren und in verkehrter Gründlichkeit bei ihm anzufangen. Das Wesen des Meeres ist aus dem Tropfen nicht ersichtlich. Lourdes ist ein Massenphänomen und nichts als das.

«In eine Menge zu gehen, ist, wie in ein Choleradorf gehen», hat ein englischer Soziologe gesagt. Der Gedanke, daß eine Versammlungsrede in kleinem Kreise leicht komisch wirkt, ist nicht neu, aber viel zu wenig ausgearbeitet. Denn hier sitzt der Kern. Was tut nun Lourdes mit den Massen —?

Es versetzt zunächst die fernen Kranken durch seinen Ruf, der künstlich genährt und gesteigert wird, in sanften Schwindel. Die Wallfahrten sind ja nicht spontan, sondern sorgfältig organisiert, die Beteiligung an ihnen ist häufig unter mehr oder minder starker Beeinflussung erfolgt. Die Millionen strömen zusammen, nicht nur von individuellem Willensimpuls getrieben, die Reisen rühren nicht aus lauter voneinander unabhängigen Einzelentschlüssen her, sondern sie sind kollektiv zustande gekommen. Die Disposition für die große Massensuggestion, die da einsetzt, ist also denkbar günstig. Kommt die manchmal ungenügende ärztliche Pflege hinzu, das Mißlingen von ärztlichen Kuren, die scheinbare oder wirkliche Unmöglichkeit, geheilt zu werden — so wird sich der Kranke um so eher dem neuen Hoffnungsstern hingeben.

Nun reist er nach Lourdes.

In dem Augenblick, wo der Patient den Zug betritt, kommt er aus der Masse nicht mehr heraus. Er ist nie mehr allein. In den Hospitälern liegen sie zu zwanzig, dreißig. Er ist fast ständig unter Tausenden, meist unter Hunderten, die Leidensgefährten sprechen miteinander. Die Ärzte unter meinen Lesern kennen die ‹Wartezimmer-Gespräche› in den Polikliniken, wo Frau Knautschke Fräulein Lindemüller von ihrem großen Ding am Knie erzählt, und was der Doktor gesagt hat, und was man da tun müsse, und was man nicht tun dürfe ... Jeder gibt seinen Senf dazu, Schauergeschichten steigen zur Decke, und alle sind schwere Fälle, und alle wollen bemitleidet und sehr ernst genommen werden. An guten Ratschlägen fehlts nicht. Das, genau das, ist die Luft von Lourdes. Ich habe die Unterhaltungen alter Frauen auf dem großen Platz während der Prozession mitangehört: kein Komma war anders als in der berliner Charité vor der allgemeinen Sprechstunde. «Un denn, Frau Millern, ick hab mein Mann imma heiße Linsen hinten ruffjepackt — das hatn ja sehr jut jetan . . .» Auf die Art.

Gruppen sind *ein* Leib. Aber das ist überall so. Ein Soldat wurde bei einer Besichtigung gefragt: «Sie stehen im Feuergefecht mit dem Gegner, der energisch vordringt. Ein Schütze neben Ihnen ruft, daß man sich nicht mehr halten könne, man müsse zurückgehen. Was tun Sie?» — «Ich gehe zurück!» sagte der Soldat. — «Warum?» — «Weil wir uns nicht mehr halten können.» Ganz Lourdes in einem Satz.

Man betrachte ja nicht die Massen in Lourdes als einen Haufen Ekstatischer und religiös Verzückter. Im Gegenteil: die Atmosphäre ist recht kleinbürgerlich; es sind Bauern und kleine Bürger, die da zur Heilung kommen, und tobende Ausbrüche sind recht selten. Als Hellpach noch Nervenarzt war, hat er einmal davon gesprochen, daß «nicht jede Epidemie, in der ein paar Hysterische sich herumtreiben, eine hysterische Epidemie ist; von den wirklichen hysterischen Epidemien ist die große Menge der bloß mit hysterischen Zügen Geschmückten sorgfältig zu sondern». So auch hier. Nein, es ist etwas ganz anderes als Hysterie.

Es ist das Beispiel. Es ist die Nachahmung. Es ist die Geste.

Man falte einer Hysterischen in der Hypnose die Hände — und ihr Gesicht nimmt einen flehenden Ausdruck an. Man versetze sie mit zornigen Gesten in einen zunächst fingierten Zustand der Raserei, und das Blut steigt ihr langsam zu Kopf. (Der Schauspieler sei hier ausgenommen.) Espinas, der französische Tierpsychologe, erklärt so die geistige Ansteckung unter Tieren. Vom Gesumm der Wespen: «Die andern Wespen hören dieses Geräusch, können es sich aber nur vorstellen, indem diejenigen Nervenfasern, die es gewöhnlich auslösen, gleichzeitig mehr oder minder erregt werden . . . Wir denken nicht nur mit unserm Gehirn, sondern mit unserm ganzen Nervensystem.» Nun, hier in Lourdes wird nicht nur gesummt. Hier wird der Heilwille angespannt.

«Die Wunden der Sieger schließen sich schneller als die der Besiegten»; das gilt auch körperlich. Die Seelenheiterkeit, die gute Stimmung, der Wille, gesund zu werden — wer kennt das nicht! Und der wird hier aufgereizt, angespannt, hochgepeitscht . . .

Ein besonders schönes Beispiel von Massensuggestion sind die Lungenkranken aus der Heilanstalt zu Villepinte, deren Belegschaft jedes Jahr wiederkam. 1896 werden acht von vierzehn Personen geheilt; 1897 acht von zwanzig, darunter nur vorübergehende Besserungen, 1898: vierzehn von vierundzwanzig. Unnötig, auszumalen, was sich das ganze Jahr hindurch in der Lungenheilanstalt abgespielt hat — die Gespräche, die gegenseitigen Ermunterungen, die ununterbrochenen Wach-Suggestionen, die Zeitungsartikel . . . Einen günstigeren Boden gibt es nicht.

Nun könnte man sagen: aber wie verhält es sich mit der Heilung von Kindern, die kaum oder noch gar nicht sprechen können, auf die also die Wirkung einer normalen Wort- und Bildsuggestion nicht in Frage kommen kann? Der Professor Bertrin führt eine große Anzahl an: 1897 ein Kind von knapp drei Jahren, 1896 ein Kind von zwei Jahren, er geht sogar bis auf das Jahr 1858 zurück . . . Aber grade bei Kindern erscheint mir die Sache besonders zweifelhaft: denn da sind es die Krankheitsberichte der Eltern, die ihr Kind geheilt haben wollen, und die nicht wissen, daß es grade bei Kinderkrankheiten verblüffende Fälle von raschen Zustandsveränderungen gibt.

Liest man die kirchlichen Bücher, so hat man den Eindruck, wie wenn sich dergleichen noch nie ereignet hätte. Damals, als der Präfekt von Tarbes die Grotte schließen wollte, erhob sich die ganze Gegend. «Von dem Tage an, als die Gendarmen erschienen und die Leute von Strafe hörten, war die Aufregung so stark, daß sich die ganze Gemeinde und auch die Nachbargemeinden, wie vom Widerspruchsgeist getrieben, für diese Neuerung begeisterten.» Aber das ist nicht Lourdes, sondern stammt aus einer Wundergeschichte, die in Trennfeld im Jahre 1892 spielte. Es kommt alles wieder, auch die Wunder, grade die Wunder. Sie haben ihre Gesetze.

Dergleichen ist ja nicht neu. Der Doktor Vachet aus Paris, der übrigens eine sehr verdienstvolle Aufklärungsschrift über Lourdes geschrieben hat, zeigt genau dieselben Methoden bei einem Mann auf, der sogar in Paris einen Saal knüppeldick voller Menschen hatte: Herr Béziat, ein Landwirt, der die Leute durch Zuspruch heilte. Und der sagte offen, was es ist: es ist der Wille. Wobei er die Bemerkung macht, daß der Kranke durch den fremden Appell an die ‹Lebensquelle›, die sich nun gegen die Krankheit aufbäumt, zunächst noch mehr leide — eine sehr feine und treffende Beobachtung.

Von den zahllosen Analogien und Kopien von Lourdes nur zwei.

Die schwindsüchtige Maria Bashkirtseff war im Jahre 1881 in Kiew. Ihr Tagebuch ist heute mausetot — aber es bleibt doch das rührende Zeugnis eines armen Vögelchens. Da betete man für sie, ihre Eltern beteten, sie auch; aber sie glaubte nicht an die Heilung. Und so wurde es denn auch nichts. Ihre kleine Schilderung von Kiew, die unter dem 21. Juli eingetragen ist, wirkt wie ein dünnes Abziehbild von Lourdes.

Und da ist das Heiligtum von Oostakker in Belgien, eine gradezu barocke Geschichte. Die Marquise von Courtebourne hatte sich in ihrem Schloß, wie es um 1870 Mode war, ein ‹Aquarium› anlegen lassen, mit Teichen und Wasserkunst und allem übrigen. Ihr Abbé zeigt ihr ein Bild der Grotte von Lourdes — das möchte sie auch haben. Es wird eine Nachbildung bestellt und ausgeführt, mit der Statue der Madonna und allem, was dazugehört, auch dem exportierten Wasser aus Lourdes. Und nun fangen doch wahrhaftig die Gläubigen an, hierher zu wallfahrten —! Unter den Geheilten strahlt das Glanzstück: de Rudder. Der Mann war ein Bettler, dem ein Sturz vom Baum sein Bein zerschmettert hatte. Bruch des Schienen- und des Wadenbeins, Operation ohne Asepsis: schwere Eiterung, in der Wunde sollen die Knochenenden deutlich zu sehen gewesen sein. Diesem Mann wuchsen am 7. April 1875 die verkürzten Knochen zusammen, und wenn man sieht, daß der Metallabguß dieses Mirakels im Bureau des Constatations hängt, so wird man füglich nicht mehr zweifeln. Wenn man nicht wüßte, daß der Abguß ein Jahr nach dem Tode von dem exhumierten Leichnam abgenommen worden ist, abgenommen worden sein soll ... So ungefähr sieht das wissenschaftliche Material der Kirche aus.

Lourdes ist lediglich ein Phänomen der Massensuggestion.

Es gibt einen klaren Beweis von der Richtigkeit dieser These, einen Beweis e contrario. Das ist der Winter.

Im Winter finden keine Wallfahrten statt, weder die großen französischen noch die internationalen. Im Winter kommen lediglich ein paar versprengte Touristen, Neugierige, Hochzeitsreisende, die gelobt haben, nach ihrer Verbindung dorthin zu pilgern — es kommen aber auch Kranke.

Die Kirchen sind geöffnet, die Grotte ist geöffnet, man kann beichten und beten, wie im Sommer, man darf baden, wie im Sommer; man darf das heilige Wasser trinken, wie im Sommer.

Und es gibt keinen Fall der Heilung im Winter — keinen einzigen!

Es kann keinen geben, weil die Masse fehlt, die brodelnde, Gebete plappernde, dahinziehende, sich pressende, chorsingende Masse. Der Pilger ist mit seinem Gott und seiner Grotte allein.

Und da langt es nicht. Da springt kein Funke über, da bäumt sich nichts auf, da peitscht nichts auf den Willen ein, da raunt nichts: Gesunde! da ruft nichts: Gesunde! da brüllt nichts: Steh auf und wandle! Im Winter geschlossen.

Der Arzt mit seinen Hilfsmitteln: Persönlichkeit, Wartezimmer, Operationssaal, weißer Mantel, Assistenten — er reicht Lourdes nicht das Zauberwasser. Er ist allein, der Kranke im Winter ist allein. Lourdes ohne die Masse ist nicht Lourdes.

Und nicht nur zeitlich ist das Wunder begrenzt — auch örtlich. Es gibt in den letzten vierzig Jahren keinen Fall, daß jemand aus Lourdes selbst geheilt worden wäre. «Wir sind zu nah», sagte mir einer. Die Kirche läßt die Pilger nur wenige Tage zur Grotte wallfahren — frisch sollen die Eindrücke sein, gewaltig die Intensität, mit der gewollt und gebetet wird; Gewöhnung ist der Tod. Ein klarerer Beweis ist nicht möglich.

Am tiefsten hat hier, wie immer, Freud sondiert. In seiner Untersuchung über ‹Totem und Tabu› findet sich das finstre Loch aufgerissen. «Mit der Zeit verschiebt sich der psychische Akzent von den Motiven der magischen Handlung auf deren Mittel, auf die Handlung selbst ... Nun hat es den Anschein, als wäre es nichts andres als die magische Handlung ... die das Geschehen erzwingt.» Die magische Handlung in Lourdes ist das Bad.

Die Quelle hat, wie die Kleriker triumphierend feststellen, nachgewiesenermaßen nicht den geringsten therapeutischen Wert, sie ist eine Gebirgsquelle wie hundert andre auch. Aber das symbolhafte Bad, das an Heilbäder erinnert, gemahnt den Kranken, daß hier etwas zu seiner Gesundung vorbereitet wird, er kennt das, ja, ja, es ist ein Bad, gewiß, er ist in einem Kurort. In einem seelischen.

Um sich herum Kranke ... «Man fühlt sich nicht so allein in seinem Malheur», hat einmal ein Krüppel gesagt — Leidensgefährten, Bemitleidende und das Höchste: das Allerheiligste mit dem Erzbischof selbst dem Kranken zu Ehren! Hier wird das Ich groß geschrieben. Mit der äußersten Konzentration kehrt sich der Heilwille nach innen, ringt mit der Krankheit, kämpft: du oder ich!

Und nun ist die große Frage:

Wie weit reicht dieser Heilwille —?

Sieht man von allen Schauergeschichten, von allen Übertreibungen, von allen liederlichen Dokumenten ab, von den Luftblasen, die da aus dem Sumpf hochgurgeln — ein einziger Fall genügte. Ich nehme ihn an.

Und damit wäre eben nur erwiesen, daß der Wille des Menschen, dieser allmächtige Wille, dem so viele Weise so verschiedne Namen gegeben haben, daß dieser Wille fähig ist, Veränderungen im Gewebe hervorzubringen. Die Kirche, die sich seit Marx mit dem Sozialismus beschäftigt wie eine Hausfrau mit Wanzenpulver, hat auch Medizin studiert und unterscheidet in ihrer medizinischen Scholastik sehr scharf. «Eine Hysterie kann nur eine Funktion hervorrufen, niemals ein krankes Organ ersetzen.»

Wenn aber ein Fall, ein einziger erwiesen wäre, von demselben

Arzt unmittelbar vor und nach der Heilung beobachtet, attestiert, radiographiert —: wenn der erwiesen wäre, dann sind eben die Theorien falsch, denn es ist die Naturerscheinung, nach der die sich zu richten haben, nicht, wie der Theoretiker gern möchte, umgekehrt.

Also doch Unsre Liebe Frau von Lourdes —?

Nein.

Sie ist die Personifikation des menschlichen Willens, dem die Kirche das genommen hat, was sie der Gottheit gab. Innen sitzt es — nicht außen.

So ist es immer gewesen.

Da ziehen sie hin, die Schafe — Walter Mehring hat sie gesehn.

> Durch die Jahrtausende geht ihr Zug
> Mondhell leuchtenden Steißes —
> Immer ein schwarzes, ein weißes —
> Heiliger Nepomuk!

Da ziehn sie hin.

Ich weiß nicht, ob schon wieder deutsche Katholiken nach Lourdes wallfahrten. In großen Zügen tun sie das meines Wissens noch nicht. Sie werden keinen leichten Stand haben. Die französischen Katholiken sind, im Gegensatz zu den deutschen, die wildesten Nationalisten; es gibt zwar keine Pan-Franzosen, und selbst die ‹Action Française› will keinem andern Volk etwas fortnehmen — aber wenn $Κατ'όλος$ erdballumspannend heißt, so ist das ein Erdball mit Hindernissen. Es ist mir nie klar gewesen, wie ein frommer Katholik dem andern ein Bajonett in den Leib jagen kann — fühlt er nicht, daß es die eklatanteste Religionsverletzung ist, die es gibt? Dafür zum selben Gott gebetet, dasselbe Sakrament verehrt, dieselben Bitten gesprochen, dafür . . .? Mir sind sämtliche Kunstgriffe der Kriegstheologen bekannt, man kann ja alles beweisen. ‹Gebet dem Kaiser, was des Kaisers ist› und ‹Gehorchet der Obrigkeit› — aber in der deutschen Kriegsliteratur zum Beispiel ist doch den Katholiken bei Aufstellung dieser kümmerlichen Sätze nicht so kannibalisch wohl gewesen wie der protestantischen Konkurrenz. Die jungen pazifistischen Katholiken in Deutschland, etwa die Leute um Vitus Heller, werden jedenfalls noch eine schwere Arbeit haben, wenn sie mit diesen französischen Glaubensgenossen zusammentreffen wollen. Denn da katholische Deutsche vor dem Kriege in Lourdes gewesen sind, zum Beispiel Bayern, so ist es theoretisch nicht ausgeschlossen und praktisch mehr als wahrscheinlich, daß Männer, die gemeinsam vor der Kirche das Credo gesungen haben, sich späterhin bis zur Unkenntlichkeit zerfetzt haben, als Soldaten, die sich damit noch brüsten, zum Beispiel Bayern.

Ich weiß sehr wohl, daß im allgemeinen dem deutschen Publikum nicht sehr wohl ist, wenn es gegen die Übergriffe der katholischen Kirche geht. Der Katholik ist dagegen; der Protestant hat Furcht, daß das Feuer auf sein Haupt übergreife, und der Jude sagt: politische Rücksichten und meint: Angst vor dem Antisemitismus. Mit einem kämpferischen freien Geist ist es bei allen dreien nicht weit her.

Die Aufgabe wird einem doppelt schwer gemacht: durch die wanzenplatten Monisten und die unzweifelhaften Verdienste des deutschen Zentrums in der Außenpolitik bis zum Jahre 1924. Aber das soll uns nicht hindern, die Wahrheit zu sagen.

Und sie kann um so leichter gesagt werden, als nur Renegaten und Angsthasen katholischer sind als die Katholiken selbst. Die verlangen nicht, daß man an Lourdes glaube; ich kenne katholische Franzosen, die mit Feuer und Schwert gegen die Trennung von Kirche und Staat kämpfen und über Lourdes mit einem Achselzucken zur Tagesordnung übergehen. Furcht vor dem Kulturkampf ist noch keine Toleranz.

Toleranz! Aber ich habe noch nie erlebt, daß die andern auf unsere Gefühle Rücksicht genommen hätten, etwa, wenn von der Wehrpflicht die Rede ist. Ihnen ist die Sache so selbstverständlich. Weicht nicht immer zurück, falsche Taktiker, Taktiker eurer Niederlagen. Und setzt auch einmal dem, der zugreift, die alte Formel der kirchlichen Druckerlaubnis aufs Heft: Nihil obstat. Imprimatur.

Hier soll kein Wort der persönlichen Verunglimpfung Geistlicher stehen. Die Tatsache bleibt, daß Lourdes Hunderttausenden eine Tröstung und eine Herzstärkung bedeutet. «Aber wenn nun die Leute ungeheilt zurückkommen», fragte ich einen Abbé, «sind sie da nicht enttäuscht?» — «Im Gegenteil!» sagte er. «Es ist auf alle Fälle eine kräftigende Reise.»

Auf der manche sterben. Denn der Transport so schwer Kranker, die zum Teil gegen den ausdrücklichen Rat der Ärzte reisen und noch stolz darauf sind, ist anstrengend, qualvoll, trotz allem gefährlich. Von der öffentlichen Hygiene dieser nicht immer sauber zu haltenden Massentransporte gar nicht zu reden. Also Schließung? Es gibt keine Regierung, die das wagen dürfte. Es ist zu spät.

Und ich will nun den Frommen zum Schluß alles einräumen: daß es wundertätige Heilungen gibt, daß diese Heilungen von einem Wesen ausgehen, das Jungfrau Maria heißt ... Was beweist das —?

Wunder sind eine Reklame. Wunder beweisen nichts für die Richtigkeit eines ethischen Systems.

Und wenn einer aus Feuerland daherkäme und mir das Abbild seines Gottes zeigte und sagte: «Sieh! Er tut Wunder! Er gibt Regen und Sonnenschein! Er heilt die Kranken und fördert die Gesunden! Er schließt die Wunden und trocknet Tränen, er erweckt Tote und trifft mit dem Blitz das Haupt unsrer Feinde! Er ist ein großer Gott!» — spräche er also, so prüfte ich das Gebäude und die Untermauerung seines Glaubens und seiner Metaphysik, seiner Lehren und seiner Sittengesetze.

Und fände ich dann etwa, daß es eine Religion ist, die von ihrem Schöpfer gute Lehren auf den Weg bekommen hat, diesen Schöpfer aber verraten hat um irdischer Güter willen; daß sie die Reichen begünstigt und die Armen mit leeren Tröstungen im Elend geduckt hält; fände ich, daß sie die Tiere nicht miteinbezieht in den Kreis des Lebens, und daß sie klüger ist als fromm, gerissener als weise, politischer als wahrhaftig; daß sie das gute Heidnische im Menschen tötet und den Verkrüppelten sorgfältig bewacht; daß sie gottlose Fahnen in ihren Tempeln aufhängt und segnet, die da töten, und verflucht, die den Staatsmord verhindern wollen — fände ich das alles:

ich schickte den Mann aus Feuerland zurück und pfiffe auf seine Wunder.

CIRQUE DE GAVARNIE

Der Cirque de Gavarnie ist nicht nur ein Gebirgskessel, sondern eine nationale Zwangsvorstellung. Unmöglich, in Paris von den Pyrenäen zu sprechen, ohne daß der andere sagt: «Vous faites le tour des Pyrénées? Alors il faut voir le Cirque de Gavarnie.» Ja doch.

Das Reisepublikum des Landes hat diese Attraktion sogar schon auf die Briefmarken setzen wollen: sodaß es sich also um eine himmlische Schönheit oder um eine künstlich aufgeplusterte Sache handelt. Wenn die Erwartung vorher so aufgereizt worden ist, gibt es meistens eine Enttäuschung.

Die Straße führt über die Napoleon-Brücke, ein Bogen, der sich hoch über den Bach da unten wölbt. Aber dreihundert Meter davon, wo die Straße noch steigt und ihr Rand sich siebzig Meter über den Abgrund erhebt, da fuhren dreiundzwanzig Menschen in den Tod. Am 3. August 1923 kehrten zweiundzwanzig Holländer, die aus Lourdes nach Gavarnie gekommen waren, vom Cirque zurück, Männer und Frauen, fröhliche Leute auf einem fröhlichen Ausflug. Sie fuhren eine halbe Stunde an ihrem Grab entlang, und was es dann mit dem Chauffeur gegeben hat, der als zuverlässiger Mann in der ganzen Gegend bekannt gewesen ist, weiß man nicht; jedenfalls tobte der schwere Tourenwagen über die kleine Mauerböschung nach unten. Sie stürzten siebzig Meter, ein einziger Mann fiel ins Wasser und blieb unverwundet am Leben. Er kroch unten in eine kleine Höhle, die der Felsen gebildet hatte, an ein Heraufklettern war an diesem Abend nicht zu denken, und ein mutiger französischer Student ließ sich an einem Seil hinunter und brachte dem Halbirren Rum und Zucker. Für die Nacht blieb er allein. Am nächsten Morgen holten sie ihn herauf; er lebt heute noch in Holland. Die andern wurden einzeln zusammengesucht, den Chauffeur fand man nach drei Monaten, die Strömung hatte ihn entführt. Das Chassis des Wagens liegt, ein Eisenskelett, im Abgrund: wenn man sich hart über die niedrige Mauer beugt, kann man es unter den Büschen sehen. Es ist der einzige ernste Unglücksfall, der den Reiseautomobilen hier zugestoßen ist.

Aus Lourdes kommen so viele Ausflügler hierher. Ein Automobildienst ist eingerichtet, und ein Wagen nach dem andern befördert die Menschenpakete an den Cirque de Gavarnie. Die Straße lärmt und rattert den ganzen Tag, die Restaurants sind überfüllt, es gibt dumme Andenken zu kaufen, und das Ganze erinnert ein bißchen an die Sächsische Schweiz. Die Leute auch: geschwätziges, naturkneipendes Kleinbürgertum.

In Gavarnie hört die Straße auf, da macht der Weg eine Biegung, und nun liegt der Stolz der Pyrenäen vor seinem Publikum. Die Felswände stehen im gigantischen Halbkreis, oben liegt etwas Schnee, und das Ganze ist schön anzusehen. Aber mehr nicht — und warum so ein Geschrei daraus gemacht wird, weiß ich nicht. Um heranzukommen, braucht man eine Stunde, wie täuschen doch die Entfernungen im Gebirge und auf der See! und dann wird der Zirkus nicht etwa großartiger: da ist zwar ein hoher Wasserfall, aber weil die Vergleichsmaßstäbe fehlen, überwältigt er nicht. Brav und mit vorgeschriebner Begeisterung wandeln die Lourdes-Sachsen die klassische Strecke.

Ein Gutes aber hat Gavarnie doch gehabt. Ein französischer Zeichner schöpfte sich hier sein Pseudonym: Gavarni, Daumiers Zeitgenosse; Hunderte amüsanter Mode- und Theaterzeichnungen liegen uns vor. Er schrieb sich ohne e — bei mir hatten Gavarnie und Gavarni bisher immer in zwei verschiedenen Schubladen gelegen, so wie ja kein vernünftiger Mensch bei Goethes ‹Faust› an eine geballte Hand denkt.

Im Dorf Gavarnie selbst fand sich ein Schild vor: «Zur Kirche, XVI. Jahrhundert». Ah — wie gebildet! zur Kunstgeschichte gleich hier gradeaus ... In der Kirche stand ein Priester und erklärte einer Reisegesellschaft eine Sammelbüchse. «Diese Kasse ist für die Errichtung einer Madonna bestimmt, die hier stehen und Gavarnie gegen die Lawinen schützen soll.» Wer etwas geben wolle ...? Spende man aber fünf Francs, so dürfe man sich in jenes goldne Buch eintragen. Alle spendeten, alle trugen ein. In der Ecke stand eine bescheidne Holzbüchse. Für die Armen. Keiner gab einen Sou.

Das Dorf war gesteckt voll, sie waren sämtlich da, die dagewesen sein mußten, kein Wagenplatz, kein Pferdesattel, kein Eselsrücken war frei.

In Gèdre aber biegt ein kleiner Weg ab, und den geht niemand. Fünf Stunden weiter liegt ein andrer Cirque, der von Troumouse, kein Auto fährt dahin, auf dem ganzen Spazierritt bin ich zwei Männern begegnet, und die kamen nicht von Troumouse. Es ist ein bißchen mühselig, und der Franzose wandert nicht. Daher fern von den großen Straßen wenig Wegweiser, wenig Fußwandrerkarten und himmlische Einsamkeit.

Ich bekam nur ein Pferd. Pferde können sich mit den Mauleseln dieser Berge an Sicherheit nicht messen. Das Pferd klettert, der Esel geht Schritt vor Schritt, wie in einer Ebene. Der Gang des Esels ist den holprigen Steinen und dem Auf und Ab der steilen Wege wesentlich angemeßner.

Ein paar hundert Meter ist da noch eine Straße, und weil man an ihr vor dem Kriege bis zum August 1914 gebaut hat, so kann man an diesem steinernen Kalender so recht sehen, wie es gewesen ist: erst ist sie geschottert, dann mit spitzen Steinen übersät, dann nur noch die Erde an den Seiten aufgeworfen, nun wird sie ganz schmal, ein Pfad bleibt übrig ... Zum Bau von Straßen war damals keine Zeit mehr — sie mußten welche zerstören.

An Héas kommt man vorüber, einem kleinen Weiler. Schon vorher, im Steingeröll, steht eine heilige Jungfrau, weil sie dort den Schäfern erschienen ist und um ein Bildnis gebeten hat. Héas hat eine Kapelle. Diese Kapelle und ein Haus sind die einzigen Opfer einer Lawine, die zu Tal kam. In dem verschütteten Haus starben Mutter und Kind; die Nachbarn hatten in der Sturmnacht nicht einmal den Zusammensturz gehört. Die Kapelle wird wieder aufgebaut; den Gottesdienst für die Handvoll Leute, die da noch wohnen, halten sie nebenan ab, in einer kleinen Stube.

Durch Pferdetrupps und Rindviehherden hindurch; die Pferde

auf Urlaub wiehern dem, auf dem ich sitze, die neusten Nachrichten aus dem Gebirge zu, und das Pferd nickt mit dem Kopf: Ja, ja, die Zeiten werden immer teurer ... Stunden und Stunden. Dann: Troumouse.

Wir stehen in der Mitte des riesigen Kessels. Er ist größer als der von Gavarnie, in seiner völligen Verlassenheit viel schöner. In der Mitte, in dieser ungeheuren Mitte steht die ‹Vierge des Neiges›, in seltener Instinktlosigkeit weiß gegen den hellgrauen Hintergrund gestellt und fast verschwindend. Das Standbild war ursprünglich aus dunkler Bronze, aber sie haben es angepinselt. Von einem schneebedeckten Gebirgspaß her weht ein eisiger Wind. Der Führer zeigt mir ganz hoch oben einen kaum erkennbaren Maultierpfad: da hinüber sind früher die Schmuggler nach Spanien gezogen. Unbegreiflich, wo Maultiere noch gehen können. Weit sieht man über die Berge; Felsen, etwas Schnee, und dieses stumpfe, büschelweis aufgesetzte Dunkelgrün, das in den ganzen Pyrenäen zu finden ist. Stille.

Stunden und Stunden reiten wir zurück. Oh, der immer wiederkehrende Rhythmus der Bergausflüge! Die ersten zwanzig Minuten am grauen Morgen sind stumpf, der Leib wandelt, aber die Seele liegt noch im warmen Bett und schläft. Dann kommt das Erwachen, die Sinne werden munter; sehen und einatmen und hören und aufpassen, so geht das bis zum Höhepunkt, der meist kurz nach der Mittagszeit liegt. Dann fällt der Tag langsam ab – die Schatten werden länger, die Stunden auch; geht es denselben Weg zurück, so wundert man sich, wie man so lange hat gehen können und möchte ihn nun aber ganz bestimmt nie wieder gehen; alle Schwierigkeiten des Marsches sind auf einmal so groß, heute morgen war das doch ganz leicht...? Und dann tiefer in die Täler hinunter, die Luft wird wärmer, die ersten Büsche stehen da, und die Bäche fließen breiter; die ersten Bauerngärten sind zu sehen, bunt, knallbunt, und in den Knochen ist jene angenehme Müdigkeit wie nach guter körperlicher Arbeit, als habe man ein nützliches Werk getan. Und dann kommen die schwersten hundert Meter: die letzten – und einen Todmüden siehst du ins Dorf einmarschieren. Sich dann am Geländer im kleinen Berghotel die Treppe hinaufziehen, die Beine sind so schwer, nein, danke, nichts zu essen ... Schlaf.

Auf dem Ritt nach Troumouse hatte sich das Pferd öfter mit einem seltsamen Blick nach seinem Reiter umgesehn, aber ich hatte nicht darauf geachtet. Ich saß oben wie ein Stück Butter auf einer heißen Kartoffel und träumte vor mich hin. Ich dachte an allerhand, auch an einen meiner Freunde, der gar nicht wußte, daß er da hinter der Grenze im spanischen Gebirge lag und eigentlich eine Stadt war: Roda hieß sie. An ihn dachte ich, den ein Militärpferd zum Dichter geschlagen, aber weil er nur ‹humoristische Kleinigkeiten› schreibt, darf man das nicht so sagen. Hopla — da stolperte das Pferd . . . Paß doch auf! Wieder sah sich das Tier um.

Und als wir zu Hause ankamen, in Gèdre, und ich grade abgestiegen war und neben dem Sattel stand und meine Beine zählte, die leblosen Klumpen —: da wandte das Pferd noch einmal den Kopf, sah mir mit großen, feuchten Augen genau auf die Nase und sprach mit einer tiefen, deutlichen Stimme:

«Ich habe ja schon viele Leute auf meinem Rücken getragen — aber eine so schweinemäßige Reiterei ist mir denn doch nicht vorgekommen — !»

Sprach's, gab ein Geräusch von sich und wandelte schwanzschlagend in den Stall.

CAUTERETS

Nun grade nicht.
    Rings umragt von dunklen Bergen
Bin ich verpflichtet, überall philologischen Assoziationen nachzugehen und bei Flandern gleich dem Grafen Egmont, bei Granada das Nachtlager . . .
    Die sich trotzig übergipfeln
und bei Roncevaux das ‹Rolandslied› zu zitieren? Ich will aber nicht. Im Grunde will ja der Hörer auch nicht.
    Und von wilden Wasserstürzen,
    Eingelullet wie ein Traumbild,
Es schmeichelt ihn nur, dem Schreiber um eine Nase vorausgewesen zu sein und es gleich gewußt zu haben, denn man ist ja unter gebildeten Menschen. Wenn also von Cauterets die Rede ist, so hat zu erfolgen:
    Liegt im Tal das elegante
    Cauterets . . .
Aber entweder sie kennen den ‹Atta Troll› genau, und dann ist das Zitat nicht nötig — oder sie besinnen sich nicht gut auf ihn, und dann hat es keinen Zweck. Besser wäre, die Reisebriefe Heines wären bekannter als sie sind, auch die aus den Pyrenäen, und alle seine Berichte aus Paris, in denen er sich als einen Jahrhundertkerl seltnen Formats, als einen Propheten und als einen Allesüberschauer zeigt. («Man müßte wirklich mal abends den Heine wieder heraussuchen . . . !» Ja, man müßte wirklich einmal.)

So elegant ist Cauterets auch gar nicht. Hier ist das ‹Heptame-

ron› der Königin von Navarra geboren — aber auch das kann uns nicht trösten. Cauterets liegt in einem engen Tal. Enge Täler ... das drückt leise auf meine Seele, man fühlt sich ein bißchen zu gut geborgen, das schwere dunkle Grün der Wälder lastet, klettert langsam den Berg hinan, man sieht ihm nach. Wie ein Gitter stehen die Stämme.

Die Kurkapelle spielt einen dünnen Walzer, die Gurgler gurgeln, die Bresthaften baden sich, die Stubenmädchen stehen zusammen und beraten, wer von wem das nächste Kind bekommen wird.

Von mir nicht. Auf und davon —!

PIC DU MIDI

Wenn man von Barèges lange genug auf gewundenen Wegen hinaufgeklettert ist, kommt man an die Hotellerie, die sechshundert Meter unter dem Gipfel liegt — also zweitausendzweihundert. Noch sechshundert Meter ...

Der Gipfel steht vor mir — hoch oben blinkt ein Märchenschloß mit der weißen Kuppel einer Moschee. Das ist das Observatorium. Das kleine Zauberhaus grüßt herunter — es ist auf einmal noch so weit bis dahin ...

Unterhalb der großen Hütte liegt ein See, und noch einer. ‹Gebirgsseen, das Auge Gottes›. Diese da strahlen dunkelgrün zwischen den Steinen. Es ist kalt.

Wird die Aussicht oben gut sein —? Taine hatte es seinerzeit nicht gut getroffen, und er legt einem fingierten Reisekameraden folgende Notiz ins Tagebuch:

«Abmarsch vier Uhr morgens im dichten Nebel. Beginn der steilen Böschung; langsamer Aufstieg im Gänsemarsch. Erste Stunde: Rückenansicht meines Führers sowie eines Pferdehinterteils. Der Führer hat eine Jacke aus flaschengrünem Samt, rechts und links ist der Stoff etwas ausgebessert, das Pferd ist schmutzigbraun und hat Striemen. Große Steine auf dem Weg, ich muß an die deutsche Philosophie denken. Zweite Stunde: Es klärt sich auf, jetzt kann ich das linke Auge des Führerpferdes sehn. Das Tier ist auf diesem Auge blind — es verliert aber nichts. Dritte Stunde: Die Aussicht wird immer weiter. Ich sehe jetzt zwei Pferderücken und zwei Jacken von Touristen, die fünfzehn Schritt unter uns sind. Graue Jacken, rote Gürtel, Mützen. Sie fluchen. Ich fluche auch, das tröstet etwas. Vierte Stunde: Große Begeisterung. Der Führer verspricht uns, wenn wir oben angekommen sind, ein Wolkenmeer. Wir sind oben, wir sehen das Wolkenmeer. Leider sind wir grade mittendrin. Die Sache sieht aus wie ein Dampfbad — vom Dampfbad aus gesehn. Bilanz: Schnupfen, Reißen in den Füßen, Hexenschuß, Frost, wie wenn man acht Stunden in einem ungeheizten Wartezimmer gesessen hätte.» — «Kommt das oft vor?» fragt Taine seine Figur. «Von drei Malen zwei», sagt die. «Die Führer geben das große Ehrenwort: es kommt überhaupt nicht vor.»

Und während ich noch in der Hotellerie frühstücke, die sauber ist und schön kalt, bezieht sich der Gipfel mit weißen Wolken, die vom Tal aus hinauffegen, ganz gewiß, jetzt wird er eine Mütze bekommen — und ich bin . . . «Je suis chocolat», sagen die in Paris. Mit einem halben gebratenen Fisch und etwas Heu im Hals reiten wir nach oben: der Esel und ich. Nach einem kleinen Stündchen sind wir oben.

Sie haben neun Jahre daran gebaut, und im Jahre 1882 war es fertig. Nun ist ein Observatorium da, mit einer Kuppel und einem großen Fernrohr, und ich lege zur größten Heiterkeit des Astronomen einen schönen Kindermund hin, als ich frage, ob hier geheizt ist. Ich weiß nicht einmal, daß die Luke, durch die das Fernrohr in den Himmel schießt, immer offen sein muß! Siehst du. Sie haben für den Wetterdienst viele gebildete Apparate, und ein Wohnhaus und Zimmer und Küchen, und alles ist durch einen gedeckten Gang verbunden, so daß sie im Winter nicht hinauszugehen brauchen. Meist können sie das auch gar nicht, das Haus schneit ein. Sie sind vier im Winter, die oben bleiben, oft für Wochen unerreichbar, und Lebensmittel haben sie immer für ein halbes Jahr im voraus. Herr Daupère macht schon fünfunddreißig Jahre Dienst; im Tal, auf Urlaub, fehlt ihm etwas, und er langweilt sich. Der jetzige Direktor heißt Latreille; und eine Hilfe haben sie auch, einen kräftigen, hübschen jungen Menschen. Von hier kann man nach Bagnères telefonieren und telegrafieren, und sie sind grade dabei, eine Funkstation aufzumontieren. Der grau lackierte große Apparat steht schon da. Wie mag man das alles nach oben geschafft haben? Mein Führer erzählt, er habe als junger Mensch beim Bau geholfen, es sei eine bittere Sache gewesen.

Und nun sehe ich mich um.

Man sieht: in der Ebene, nach Toulouse hin, ein Wattenmeer von Wolken — unten ist also jetzt schlechtes Wetter, und die Leute sagen: «Wenn doch nur die Sonne einmal scheinen wollte!» Hier scheint sie. Ab und zu ziehen graue Schwaden über die Kuppe, dann steht man im Nebel. Die Pyrenäen sind wie mit einem Messer in den blauen Himmel geschnitten, so klar stehen sie da. Ich grüße alte Bekannte: Gavarnie und die Rolandbresche und viele andre. Manche tun furchtbar fein und erkennen mich nicht wieder.

Arbeiter graben auf der Plattform, legen Leitungen und haben alles voller Planken und Erdhaufen vollgepackt, man glaubt, in einer Großstadtstraße zu sein. Ein Hühnervolk scharrt und kakelt: einmal stehen sie alle, von der Sonne beschienen, grade am Abhang vor einer blitzenden Wolkenlandschaft, die einen schönen Hintergrund für ihre Leiber abgibt. Der Hahn weiß, daß ihm Wolke gut steht, und benimmt sich entsprechend.

Sie sollen bald eine Zahnradbahn bekommen, hier oben — der Ingenieur ist mit mir zusammen hinaufgeritten und mißt die Felsen ab. Und weil man oben nicht übernachten kann, steige ich wieder zur Hotellerie hinunter, den morgigen Sonnenaufgang abzuwarten.

Es wird kalt und kälter, das große Feuer in der Küche, in der alle zusammensitzen und viel essen, wärmt und leuchtet dunkelrot. In der Stube, wo ich unter zahllosen Decken eingepackt liege, ist es bitterkalt. Fast die ganze Nacht hindurch machen die Führer und die Leute, die mit Pferden und Traglasten heraufgekommen sind, musikalischen Lärm, unter gütiger Mitwirkung einer Ziehharmonika. Sie singen gewiß alte baskische Lieder, die im Herzen des Volkes ... Gute Nacht! Sie singen alle, immer, in den kleinsten Löchern der Pyrenäen, ohne Ausnahme auf allen Bahnhöfen, auf den unglaublichsten Örtern, vom Atlantischen Ozean bis zum Mittelländischen Meer, das ‹Valencia› von gestern: den Java der Mistinguett.

On fait un' petit' belote
Et puis ça va —
On belote, on rebelote
À tour de bras —

Es ist die Pest. Sie pfeifen, summen, trommeln es ... überall. Aus dem Java ist einfach ein Ländler geworden, ein gemütlicher alter Walzer, das erklärt wohl seine Popularität. Alte Baskenlieder? Weniger.

Ich stehe dreimal auf: um halb vier, um vier und um halb fünf. Die Sonne wird Verspätung haben. Kein Wunder — hier müßte mal Ordnung in die Bude jebracht werden! Aber dann scheint es doch etwas zu werden mit der Sonne.

Noch haben die Felsen keine Farbe — der Gipfel ist verhüllt, ich brauche also nicht in die Wolken zu steigen, da wäre gar nichts. Hier unten sehe ich den kaltdunkeln Horizont, und dann seine Kolorierung, und dann färbt sich der See und ein Stück grasbewachsener Felsen, nun schwimmt da hinten die Luft in rosigem Grau ...

> Und alles wartet
> wie mit niedergeschlagenen Augen
> auf den Tag.

Die schönen Zeilen Werfels durchfliegen mich ... Nicht wahr, das dürfen sie doch, von Werfel; wie? Schade, daß sie gar nicht von ihm sind. Ihr Verfasser war ein kleiner, dicker, ehemaliger Offizier, ich darf den Namen gar nicht sagen — dann ist es mit meiner literarischen Reputation vorbei. Es wird heller ... Gold blitzt auf. Nun kommt der Wirt des Hauses und teilt mir mit, daß es heute kalt sei, daß die Sonne gleich aufgehen werde, daß man sie schon sehen könne und daß wir einen schönen Tag bekommen würden, freilich mit etwas Regen und Windstößen ... Ich beneide die Esel, die sich im Geröll Gras suchen, und die man kauen hört.

Jetzt ist die Sonne da. Es ist eine ganz gewöhnliche Sonne, wie alle Tage, niemand kann einsehen, warum man solange auf sie gewartet hat. Sie scheint ihrs, wärmt nicht ... Der Wirt schlägt mir die letzten Goldplomben heraus, nimmt mir die Uhr fort und entläßt mich mit einem fröhlichen: Glück auf!

Hinter der untersten Wegbiegung verschwindet oben das Zauberhaus mit der weißen Kuppel einer Moschee.

FIGUREN

Vor den Schaltern der Eisenbahn in der französischen Provinz kann man noch unwahrscheinliche Gestalten sehen. Da gibt es alte Damen mit langen, schwarzen Röcken und vielen Unterröcken, mit einem Großmamabusen, rund, aber ehrfurchterweckend, und mit einem schwarzen Kapotthütchen. Sie stehen und warten geduldig, bis die Reihe an ihnen ist. Vor dem Schalterfensterchen kommt wie der Blitz die Erkenntnis über sie: Dazu braucht man Geld! Zum Bezahlen! Allmächtiger Gott! Und die alten Hände graben hinterwärts in eigentümlichen Schlitzen und Grotten und produzieren ein altes Lederportemonnaie. Daß der Billettmann ihnen den Preis genannt hat, haben sie längst vergessen. «Wieviel?» Und dann zählen sie und verzählen sich, haschen herunterwehende Geldscheine, reichen hin und nehmen wieder zurück (solange man die Schachfigur mit der Hand berührt, darf man zurücknehmen), bekommen Geld heraus und zählen es mißtrauisch, fragen noch einmal vorsichtshalber, wie man fahren muß, wenden sich und vergessen das Billett. Ich habe drei Züge durch sie versäumt — aber man kann ihnen nicht böse sein, den guten, alten Winterfliegen.

Einmal saßen wir zu fünf in einer kleinen Kneipe, vier Franzosen und ich. Da war einer, der kannte Deutschland von manchen Reisen her, und er sprach auch etwas Deutsch, und gar nicht schlecht. An diesem Abend aber ritt ihn der Teufel, und er vermaß sich, mir einen deutschen Witz zu erzählen, und an der Art, wie er die Pointe vorwegschmunzelte, sah ich, daß es ‹une bonne› werden würde, eine haarige Geschichte. Richtig. Er erzählte zunächst deutsch, und die andern hörten bewundernd zu. Es handelte sich da um ein lockres Dienstmädchen, eine, die nachts außerhalb zu schlafen pflegte, und die nun natürlich mit ihrer gnädigen Frau zusammenlief. Großer Krach in der Küche. «Was hatten Sie mit diesem Mann . . . ?» rief die gnädige Frau. Das Mädchen antwortete irgend etwas hervorragend doppeldeutiges und fügte nach Angabe des Franzosen hinzu: «Und dann — liebe Frau — dann ist er gefobel!» — Und den erstaunt Lauschenden zur Erklärung: «Gefobel — en allemand ça veut dire . . . enfin . . . ç'est une expression très forte!»

Da hat man nun Gräfinnen verführt, Briefträgerstöchter geküßt, ältern Damen zu einer Erinnerung fürs ganze Leben verholfen — und weiß nicht einmal, was das ist: gefobel! Grandeur et décadence d'un Don Juan.

In Lourdes sitzt an der Ecke der rue Basse und der rue Baron Duprat im Korbwagen ein dicker Bettler. Er ist im besten Alter, eine Kugel an Fett, ununterbrochen schüttelt er in den Händen eine Blechbüchse, in der etwas klappert. Und nähert sich der Ecke ein Passant, so schüttelt er heftiger und sagt mit rostiger Stimme: «La charité, messieurs-dames, la charité!» Ich kaufte regelmäßig bei ihm, weil es hübsch war, daß einer abstrakte Gegenstände anpries. Eines Tages aber geschah etwas Unerwartetes. Es näherte sich ihm eine tropfnasige Alte, ein gekrümmtes, zusammengedrücktes Mütterchen, und schlurchte nahe an ihn heran. Die ‹charité› blieb ihm im Halse stecken. Er sah sie an, öffnete die Büchse und gab ihr ein Kupferstück. Hüstelnd und Segenswünsche brummelnd entfernte sich die Alte.

Das hatte ich noch nie gesehen, einen Bettler, der angebettelt wird. Überschrift: Der Unterbettler.

Die Oberin der Soeurs de la Charité de Nevers, des Ordens, in den die selige Bernadette eingetreten ist: «De quelle nationalité êtes-vous, Monsieur?»

Ich: «Je suis Allemand, ma Mère!»

Sie: «Oh . . . ça ne fait rien!»

Ein Mann aus den Pyrenäen sagt zu einem Freund: «Sehen Sie — hier hat sich alles verändert! Die Sache ist ruiniert, es ist aus! Seit man vor zweiundvierzig Jahren die großen Landstraßen ins Gebirge gelegt hat...» Der Satz, im Jahre 1788 gesprochen, ist alt wie die Welt. Der Mann beklagte, was Henri Béraldi in seinem Werk ‹Hundert Jahre in den Pyrenäen› «La vulgarisation» nennt — und dies Lamento reißt nicht ab. Seit den Eisenbahnen ... seit der Erfindung des Autos ... jede Generation glaubt, nun sei es mit der Gemütlichkeit und mit der Naturbewunderung ein für allemal vorbei.

Das macht, sie fühlen den endlosen Wechsel, in dem die jungen Leute die Natur anders sehen als ihre Väter, und die tun nun so, als verständen die Jungen von der Welt überhaupt nichts mehr. «Da bin ich seinerzeit gewesen, als es noch keine Zahnradbahn gab...» Na und? Dann hast du eben einen andern Eindruck gehabt als wir — nicht immer einen bessern.

Man kann wohl nicht aus seiner Zeit heraushüpfen, und so sind denn die Menschen meisthin felsenfest davon überzeugt, daß man die Natur immer so angesehen habe, wie sie es tun, daß man sie auch gar nicht anders ansehen könne und daß der ein verstockter Tropf und Modegeck sei, der es auf eine andere Art versuche. Die Erde hält gutwillig still, wenn die Reisenden über sie dahinklettern, und es ist ihr gleichgültig, wie man sie anschaut. Schilderungen sind auch für den Schilderer charakteristisch.

Wie lange ist es her, daß den Menschen die Augen für die Schönheit des Meeres aufgegangen sind? Wie lange werden sie das Meer noch so ansingen?

Die Liebe zu den Bergen jedenfalls ist noch gar nicht alt.

Die Griechen waren Leute, die die Ebene brauchten und das Gebirge mieden — eine ästhetische Wertschätzung der Berge findet sich bei ihnen nicht. Die Lateiner liebten das Gebirge kaum — aber sie besiegten es, weil sie es besiegen mußten. Das junge Christentum hat seine Einsiedler in die Berge geschickt, und die Berge, das war: Einsamkeit, Stille, etwas Negatives. Schüchtern näherte sich der Pilger der wundertätigen Quelle im Gebirge — die Berge ringsherum waren ihm nicht freundlich gesinnt, sie drohten. Er betete gegen sie.

In der Renaissance wurde das Gebirge entdeckt: die Schweizer, berggewohnt, im Gebirge geboren, erzogen, gealtert, begannen die seltsame Mär in die Welt zu setzen, daß Berge schön seien. Konrad- Gesner (nicht Salomon, der Idylliker), stand erst ganz allein auf den Bergkuppen und rief die andern herbei, die wohl oft ein Gebirge durchquert, es aber niemals so angesehen hatten, wie man eine Statue ansieht. Das sechzehnte Jahrhundert rühmte die hohen Berge, und liebte sie, zum mindesten platonisch. Das siebzehnte liebte sie durchaus nicht. Der sauber gezirkelte Naturgeschmack, der die Natur rationell zu überwinden trachtete, der Bäume in Formen preßte und den Erdboden in ein künstliches System, jener Geschmack, der allem Wilden abhold war, verachtete das Gebirge. «Das ist etwas für Bergbewohner!» war eine Beleidigung. Die Berge störten das geregelte Landschaftsbild der Ebene, die man so schön aufteilen konnte; über die Höhen und Felsen fiel die Literatur fast einstimmig her. Die reichen Leute ließen sich ihre Schlösser da anlegen, wo die Mode die schönsten Plätze fixierte: also in der Ebene, im langweiligsten Plattland, nur nicht im Gebirge. Aus dem Garten konnte man ‹etwas machen›, die Berge ließen sich das nicht gefallen. Und es war doch der Mensch, der die Natur zu beherrschen hatte! ‹Von der gesunden Luft zu Rostock› heißt eine Dissertation, die noch aus diesen Anschauungen heraus im Jahre 1705 gedruckt worden ist, und es war durchaus kein Konkurrenzneid, wenn es dort von der Gebirgsluft in der Schweiz und in Tirol hieß, sie mache die Menschen schwachsinnig. Die Berge ... das war eine grobe Sache, pfui! Sie fügten sich in kein ästhetisches System ein, unüberwindlich und frech lagen sie da, roh, unbehauen — da war keine Klarheit und keine Vernunft. Das Achtzehnte machte alles wieder gut.

Seitdem sind viele Theorien des Schönen über das Gebirge gegangen; hier sind schon so viele Melodien gesungen worden, aber die Bewunderung war doch immer der Unterton. Das Romantische, das Malerische, das Sentimentale, das Heroische, das Idyllische — so viel Bilder, so viel Hymnen, so viel Beschreibungen, so viel Verzückte.

Und nun stellt sich vor diese Dekoration, deren Soffitten man so oft ausgewechselt hat, ein Kerl mit einem kräftigen Stock, mit benagelten Stiefeln, mit wolligem Sweater und treibt Sport! und das ist etwas ganz Neues. Mühen um ihrer selbst willen zu unternehmen; hinaufzuklettern, nicht um oben ein Liedchen zu singen, sondern nur und lediglich, um zu klettern; Kampf, Niederlage, Wiederanstrengung und Sieg —: das ist das neunzehnte Jahrhundert. Die Zeit der Ideen scheint für die Wandrer bis auf weiteres vorüber — es ist die Zeit der Tat.

Weil aber trotzdem der Wandervogel gern im Rucksack den gesamten Kosmos mit sich trägt, ist es vielleicht nicht unbescheiden, daran zu erinnern, daß auch der Wandrer nicht verpflichtet ist, so und nicht anders zu fühlen, wenn er eine sanfte, von der Sonne beschienene Böschung sieht. Da ist vor allem jener fatale Gegensatz von Automann und Fußwandrer. Einer lacht den andern aus, und sie sagen sich gegenseitig nach, daß man so natürlich nichts von einem Lande habe. Ich glaube: beide haben unrecht. Es ist da etwas wie eine Breite der Bewegung in die Reisen gekommen, und das geht auf Kosten der alten Intensität — schafft aber ein völlig neues Lebensgefühl. Ich habe das einmal vor Bourg-Madame, an der spanischen Grenze, zu spüren bekommen: das eine Mal polterte ein Überlandauto mit mir die große Straße hinunter, und das zweite Mal bin ich gegangen. Es war jedesmal eine andere Allee.

Die grünen Blätter, die einem entgegengeweht kommen; streifende Zweige; das unermüdliche Brummen des Wagens; der Takt des Motors; der Blick, der schon aus Langerweile weit in die Landschaft hineinsieht und den Horizont absucht; Felder, die sich fächerartig vorbeidrehen, keine Einzelheiten, viel, wenn möglich alles —: das ist das eine. Die Erde unter den Füßen fühlen; ein Steinchen mit der Fußspitze beiseite schleudern; ein Blatt im Gehen abreißen; stehenbleiben und sehen, was denn da im Bach herumkreiselt; aus dem Bach trinken; an die Häuser herangehen und sie mit den Händen befassen, kennst du diesen Stein? nicht so sehr die Weite kontrollieren als genau die kleine Umwelt —: das ist das andere. Müßt ihr immer Vereine bilden —?

Natürlich sieht der Fußwandrer quantitativ weniger. «Die Landschaft im Auto — das ist das, was man sieht, wenn man den Wagen aus dringlichen Gründen halten läßt.» Nun, dies Wort wäre auch sehr hübsch, wenns wahr wäre. Da haben sie einmal einen berliner Generaldirektor vom Film fotografiert, durch zwei Büsche hindurch, grade, als er das Auto aus diesen Gründen hatte halten lassen. Ich habe das Bildchen gesehen, und es ist eines der schönsten menschlichen Dokumente, das sich denken läßt. Endlich, endlich einmal die Fotografie eines, der mit sich allein ist! Die Ansicht ist durchaus dezent, das war Zufall, der Generaldirektor saß im Grünen wie ein Osterhase und machte so ein Gesicht ... «Ich freue mich, daß ich hier sitze, und übrigens ist es ein gedeihliches Werk.» Dies nebenbei.

Die Poesie des Wanderns ...! Vielleicht kommt es eines Tages dazu, daß die nachtdunkeln Felder, Wälder, Berge und Täler von Zentralflammen beleuchtet sind, daß man sich in ihnen bewegt wie auf dem Broadway und daß kein Mensch mehr auf den Gedanken verfällt, darin zu wandern — so wie man ja auch in einer großen

Stadt und auf den Chausseen nicht gern marschiert. Wozu auch? Die Fahrt ist nicht nur bequemer, sondern gibt erst den wahren Reiz der künstlichen Landschaft.

Was nun die schwellenden Schilderungen der Sonnenuntergänge betrifft, der Wassersturzbäche und des Felsengerölls, so habe ich immer das Empfinden, als langweilte man sich dabei rechtens zu Tode. Ich wenigstens überschlage solche Absätze in einem Buch stets, und es muß wohl schon ein sehr großer Stilist sein, wie etwa Stifter, der eine Landschaft nicht abmalt, sondern neu schafft. Heute, aus unserer Autozeit heraus... Drei Viertel aller Naturbeschreibungen sind auf Vergleichen aufgebaut, und ich habe es wirklich satt, zu hören, daß die Mondscheibe wie eine ... und der feine Sprühregen wie ein ... anzusehen war. Vergleiche sind meistens Ausflüchte, und für den, der nicht dabei war, sagt das Ganze sowieso nicht viel. Dazu kommt noch ein andres.

Welcher Reisende hat denn den Mut, zu sagen, was ja so oft die Wahrheit ist:

daß die Landschaft *leer* war, leer wie eine aufgemalte einfarbige Fläche —!

Man sagte ihm Empfindungslosigkeit nach, befürchtete er — Stumpfheit, Mangel an Poesie, an Gefühl, an Frömmigkeit, was weiß ich. Aber es war doch so.

Sieht man von Spezialanschauungen ab: von dem geübten Blick eines Skifahrers, der keine Natur, sondern Gelände sieht, vom harten Auge des Bauern, der keine Natur, sondern Nutzland sieht, vom MG-Schützen, der keine Natur, sondern Schußfeld sieht — es ist ja in den allermeisten Fällen nicht wahr, daß der Reisende, frisch aus der Eisenbahn, mehr zustande bringt als eine Dreiminutenverzückung, die etwa auf demselben Niveau liegt wie die bunten Glasscheiben, die man auf altmodischen Aussichtstürmen antrifft und die dem Abgestumpften die Natur wenigstens einigermaßen erträglich machen sollen. «Die Natur ist niemals leer.» Sie haben noch eine Linse im Bart, Herr. Wer dreißig Jahre Asphalt tritt, wer in Steinmauern aufwächst und fast das ganze Jahr nichts andres sieht, für wen es keine Dämmerung gibt, sondern nur dunkel wird, wer nicht angeben kann, was am vorigen Montag für Wetter war — für den ist die Natur nicht leicht zu erobern. Wenn er sich nichts vormacht, bedeutet sie: gute Luft, Ruhe, Ausspannung, keine Stadt. Lade das große Publikum, und besonders seine Beauftragten, die Literaturlieferanten, um zwei Uhr aus dem Auto —: und um dreiviertel drei hast du einen Hymnus auf den Busen der Natur, daß dir angst und bange wird. Wir wollen ehrlich sein —: wir haben uns schon oft im Freien gelangweilt.

Und daher kann ich auch nicht solche Beschreibungen von den Pyrenäen geben, in denen es nur so braust von ungewöhnlichen Adjektiven — denn ich habe das nicht empfunden. Die Höhepunkte lagen auf dieser Reise, wie bei allen Menschen, die unter denselben Lebensbedingungen aufgewachsen sind wie ich, sehr oft in kleinen Nebenumständen, im Wohlbefinden an einem sonnenbeglänzten Nachmittag, in dem Geschrei von Gänsen, das sich anhörte, wie wenn sie sich selbst ironisch nachahmten; in dem Drum und Dran von ländlicher Arbeit, die ich nicht mitzutun gezwungen war, deren Anblick mir also für die erste Zeit Vergnügen bereitete; in der Freude, in den Bergen zu sein, wo keine Elektrischen fahren, keine Zeitungsausrufer brüllen, keine Schutzleute stehen. Und manchmal ... drei-, vier-, fünfmal —: mehr.

Sind die Amerikaner nicht ehrlicher —? Ihre Stumpfheit, die mich genau so reizt wie jeden andern Europäer ... Aber sie heucheln wenigstens keine innere Anteilnahme. Sie stören ein bißchen, genau wie manche Engländerinnen, die wie ein albernes Reklameschild die Landschaft verschandeln. Vor hundert Jahren hat sich George Sand über sie gegiftet und gefragt: «Wozu reisen diese Leute eigentlich —?» Das ist ihre Sache.

Es gibt keine richtige Art, die Natur zu sehen. Es gibt hundert. Es gibt für einen Menschen nicht nur eine richtige Art zu reisen; es gibt einige, die grade ihm adäquater sind als andere. Das ist alles.

Wind, der ins Gesicht schlägt, Rausch der Schnelligkeit, die Hupe, die die Straße zerteilt, durch einen Wagenpark hindurchschießen — auch dies ist Reisen.

Auf einem Esel sitzen, Stufe vor Stufe einen Berg hinaufwakkeln, das nasse Fell des Tieres mitleidsvoll von oben ansehn, aber nicht absteigen, Blumen am Wege betrachten und zwei Ohren, die sich ab und zu hochstellen und nach hinten legen, wenn etwas Außergewöhnliches herankommt, langsam die Gegend passieren, ohne sich anzustrengen —: auch dies ist Reisen.

Wandern, sich abmühen, klettern, rutschen, klimmen, herausholen, was in einem Körper drin steckt —: auch dies ist Reisen.

«Jeder versteht nur seine eigene Poesie.» Jede Zeit versteht nur ihre eigene Naturauffassung. Der ist reich, der viele hat.

Es rieselte vom Himmel herunter, und die Esel, der Führer und ich, dies ist keine Apposition, waren schon naß, als wir aus dem Dorf herauskamen. Eine halbe Stunde Chaussee, dann ein Maultierpfad rechts. Das war bitter.

Es bedeutete schon eine böse Anstrengung, da hinaufzureiten, und was die Esel ausgestanden haben, weiß allein der Herrgott, Abteilung für Pyrenäenesel. Auf der Karte stand eine Seenplatte verzeichnet, auf den Bergen stand der dicke Nebel. Manchmal wehte ihn ein Windstoß fort, dann sah man wie eine Halluzination einen Gebirgssee, der freundlich dalag und nach vier Minuten wieder verschwunden war. Der Nebel rauchte davon, und nun sah es aus wie eine verfluchte Gegend — ‹chaos› nennen sie das hier; Geröll, Steine, Felsen, Klippen, durch die sich die Esel mühsam durchmanövrierten. Sie rochen den Weg — wir andern konnten ihn auch sehen; hier und da standen kleine Steinchen auf den Felsen aufgetürmt, und manchmal hatten die Felsblöcke rote Ölstriche. Ein kleiner See nach dem andern kam an, schwarze und grüne und metallgraue, der Wind strich drüber hin, und die Oberfläche rauhte sich auf. Nun ging es aufwärts, zum Paß hinauf.

‹Lacets› heißt auf deutsch für glückliche Menschen ‹Schnürsenkel›, aber für mich hieß es während zweier Monate ‹Serpentinen› — und wenn man ihrer dreißig hinauf- und hinuntergemacht ist, dann kann man das Wort deklinieren. Die letzten waren die bösesten — wir stiegen ab, die Esel gingen leer hinauf, geduldig und sicher; mir holperten die Steine unter den Füßen weg, und das fiel mir auf. Der Weg war stellenweise nicht da, Steine waren darüber hinweggeströmt, und unten lag ein tiefer Kessel. In diesem schrecklichen Augenblick erinnerte ich mich eines Rezepts meiner guten Großmama, die bis in ihr achtzigstes Lebensjahr eine rüstige Bergsteigerin gewesen ist: kurz einmal kräftig in der Nase bohren. Ich tat es und dankte der alten Frau in kurzem Stoßgebet. (Kein Wort wahr, aber das ist in den alten Büchern so.) Und ich fluchte mich die letzten fünfzig Meter hinauf und gelobte, wenn ich erst einmal oben sein sollte, dem Führer aber ordentlich Bescheid zu stoßen und seinen Eseln auch.

Oben saß der Führer auf der Erde und aß Käse, die Esel weideten im Gras, und ich vergaß alle drei: vor mir lag eine Landkarte mit blauen Seen, Wolken in den Tälern, in wunderschöner Klarheit. Hinunter.

Wir kamen an einen schiefergrauen See, wo lag der? In den Pyrenäen —? Aber das war Ostpreußen, das war östliches Deutschland, die Ufer mit kargen Kiefern besetzt, sandige Ränder, gedämpfte Farben — und ich dachte an Kurland, das schönste Land der Welt, den Prospekt des lieben Gottes, als der Deutschland erschaffen wollte. (Es ist nachher nicht ganz so schön geworden wie die Musterreklame.) Von dem See mochte ich gar nicht wieder fort — es war so still hier, ich schickte den Führer mit der Kavallerie voraus; ich kroch am Ufer umher, ließ Hölzchen im Wasser schwimmen und atmete eine Luft, die mir gar nicht französisch schien. Dann machte ich mich wieder beritten.

Was haben eigentlich Esel immer auf der Straße zu riechen —? Meiner zum Beispiel fand oft Kuhfladen, die ließ er liegen. Aber wenn er an Pferdeäpfel von Eseln kam, stand er still, beroch die Sache ausführlich ... dann hob er den Kopf in die Luft und lachte. Wahrscheinlich erinnerte ihn der braune Klacks an einen guten Bekannten, der ihm irgend einen guten Witz erzählt haben mochte. Er war nicht vorwärtszubringen, er stand da und lachte. Da beugte auch ich mich hinunter und sah das Ding genau an und lachte gar nicht. So verschieden ist es manchmal im menschlichen Leben.

Wollige Gebirgshunde begegneten uns, sie sahen aus wie mittelgroße Bernhardiner. Der Führer versprach eine kleine halbe Stunde Weg — dann seien wir am Lac d'Orédon. Da wußte ich, daß noch mit zwei ganzen zu rechnen war. Und ein Hotel gäbe es da auch.

Würden sie mich sehr ausrauben —? Im allgemeinen war es ja gut gegangen, aber die Reiseschilderer hatten mir in Paris nicht schlecht Angst gemacht. Die Fremden seien für die Pyrenäenleute das, was für die Nordlandfischer das angeschwemmte Strandgut: legale Beute. Und einer hatte, um die mörderische Raubsucht der Leute genau zu charakterisieren, hinzugefügt, daß im vorigen Jahrhundert ein Präfekt einen Bauern wegen der Steuern gemahnt und daß der geantwortet habe: «Exzellenz, ich tue, was ich kann! Seit vierzehn Tagen stehe ich täglich mit meiner Flinte auf der Chaussee und warte, daß jemand vorbeikommt. Meinen Sie, es kommt einer? Kein Aas. Aber das verspreche ich Ihnen, Exzellenz: wenn einer kommt, dann bezahle ich meine Steuern.» Regt es sich im Gebüsch —? Seis. Für das Vaterland bis in den Tod. Exklusive.

Aber als ich triefend im Gasthaus anlangte, da ging es dort wundermild zu, und ein schöner Gebirgssee war auch da, von hohen Bergen eingeschlossen, ganz einsam. Hätten sie nicht auch hier ein Stauwerk errichtet, es wäre still gewesen, so aber rauschte der Wasserfall die ganze Nacht, gegen das Gesetz, denn ein See hat still zu sein, und er rauschte mich in Schlaf.

Was sich aber zwischen dem See von Orédon und Arreau abgespielt hat —: darüber verweigere ich die Aussage.

Ich will sie gewiß nicht alle aufzählen. Viele laufen von Norden nach Süden, so daß man bei der Durchquerung der Pyrenäen immer wieder neue Gebirgspässe übersteigen muß, die guten Straßen oder gar die Eisenbahnlinien liegen nördlicher, und wenn man sie benutzt, kommt man zu weit aus den Bergen heraus.

Steigt man ein wenig von den Tälern in die Berge, so liegt da die halbhohe Zone, die schon der Graf Russel so gerühmt hat, er, der die Pyrenäen erobert, kartographiert, nach allen Richtungen hin durchforscht hat. Dieser Bergstrich ist meist einsam, er entbehrt der großen pompösen Schönheiten, aber er hat seinen Stil für sich. Gebüsch kriecht am Boden, hin und wieder flattern noch Vögel, es ist noch nicht kalt und nicht mehr warm, nicht mehr bewachsen und noch nicht kahl, noch nicht eisbedeckt... Was den Schnee in den Pyrenäen anbetrifft, so ist das mit ihm nicht so wie in den Alpen, wo man mitten im Sommer viele Bergkuppen antreffen kann, die strahlend weiß sind. Ein Reiseführer rühmt, durchaus unironisch, den Pyrenäen etwas nach, was mit einem einzigen Wort unsere leise Enttäuschung über die steingrauen Gipfel in einen schönen Euphemismus verkehrt: «Une neige discrète.» Weniger Diskretion wäre mehr.

Die Täler... Eins ist ihnen allen gemeinsam, und ganz besonders denen um Barèges und Luz herum, also ungefähr in der Mitte der Pyrenäen —: ihr starker Sinn für Abgeschlossenheit. ‹Barèges den Leuten aus Barèges!› Und weil es ein altes soziologisches Gesetz ist, daß man Näherstehende viel mehr haßt als Fremde, die jenen gegenüber fast symphatisch erscheinen —: so hassen Rumänen die Österreicher, haben aber nichts gegen die Reichsdeutschen, und so verachten die Leute aus Barèges die, so ein Tal weiter wohnen, haben aber nichts gegen die durchreisenden Engländer. Aus verschiedenen Gründen, versteht sich.

Diese Bauern haben ihre alten Sitten, die zum Teil noch merkwürdig unberührt sind, ihre herkömmlichen Riten bei der Trauer, wo die Witwe eine Kapuze in der Kirche tragen muß, Stolz auf ihre Wäsche, die sie zu weben beginnen, wenn ein Kind geboren wird, ihre Lieder und Sprüche... Es gibt einen, der das seit Jahren systematisch beobachtet und aufgezeichnet hat — weil er nicht ehrgeizig ist, gibt ers nicht heraus, sondern sammelt lieber Schmetterlinge. Das ist der Schullehrer von Gèdre, ein Mann, dessen Manuskripte wie kalligraphiert aussehen. Das Werk nun auch noch verlegen...? Die Welt interessiert hier nicht übermäßig.

Man findet keine besonders großen Vermögen; jedes Tal mag,

wo keine Industrie ist, kaum fünf, sechs reiche Familien zählen — der Rest arbeitet, niemand geht müßig, aber niemand reißt sich ein Bein aus. Und die Leute sind auch so glücklich und zufrieden.

Was gemacht wird, wird ordentlich gemacht; jemand, ders verstand, machte mich auf die intensive Art aufmerksam, in der hier gemäht wird: so ein Feld sieht wie rasiert aus. Und hinterher treiben sie noch ihr Vieh über die Fläche.

Die Technik trifft man stellenweise ... Pflüge sind zu sehen, von einer Primitivität, die erkennen läßt, wie sich durch Jahrhunderte und Jahrtausende nichts gewandelt hat, und von einem Dampfpflug wird hier kein ehrlicher Ochse etwas wissen wollen.

Weil wir grade von Rindvieh sprechen: auch die Politik bringt diese Bauern nicht auf den Trab. «Wen wählen sie —?» fragte ich. «Den Sohn des alten Deputierten», sagten die Kenner, und so war es häufig. Sie wählten oft die Person und den Familiennamen, nicht die Parole und die Partei. Der Vater hats gemacht, der Sohn wirds auch machen. Das ist politisch sicherlich rückständig, aber ebenso sicher immer noch besser, als ein abstraktes Listensystem, bei dem der Vorsitzende des Verbandes Deutscher Steuerassistenten zur Wahrung seiner Berufsinteressen ins Parlament geschickt wird, ohne daß mans eingestehen will. Und so sieht das Parlament ja auch aus.

Die Bauern in den Ostpyrenäen verstehen von der Schule her alle Französisch, aber sie sprechen daneben und unter sich ihren Lokaldialekt. Der ist in vielen Tälern ein seltsames Gemisch aus Französisch, Spanisch, Lateinisch und Arabisch, die Sarazenen sind einmal hier gewesen. «Harri!» treiben sie ihre Esel an, und das ist ein altes sarazenisches Wort. Die Dialekte sind von Tal zu Tal abgestuft, Aussprache und Lautnuancen, besonders in den Vokalen, verschieden. Sprechen sie französisch, so hat es die Färbung des Mididialekts, eine schauerliche Sache. Mit vielen ‹Hé› und singenden Tönen am Satzende ist der französischen Sprache das ausgetrieben, was sie so liebenswert macht: ihre Musik.

Wer die Alpen kennt, weiß, wie sich Bewohner benachbarter Täler voneinander unterscheiden und wie doch der Reisende die gemeinsamen Züge herausfinden kann, eben weil er den Kleinkämpfen ein unbeteiligter Zuschauer ist. Ist man aus dem Lande der Basken heraus und durchreist Béarn (ganz richtig, das Land mit der Sauce), Bigorre, die Vier Täler und später eine Landschaft, Roussillon geheißen — so hat man das typische Bild der Gebirgslandleute. So ein Gespräch wäre sehr wohl auch hier möglich: «Der Rüderer! Das ist ja ein Fremder! Sein Großvater ist übers Dachauer Moos nach München gekommen!» Dixit Ludwig Thoma, und er wollte damit durchaus keinen Witz machen. Das gibts hier allenthalben.

Die Unterschiede dieser Täler sind um so größer, als sie verschiedene politische Verfassungen besessen haben, und viele früher frei und unmittelbar gewesen sind. Sie hatten schon im vierzehnten Jahrhundert eigene kleine Volksvertretungen, andere wurden feudal regiert, und alle wachten ängstlich über die Erhaltung ihrer föderalistischen Grundlagen. Sie haben sich nicht schlecht dabei befunden. Heute sind diese Zeiten vorbei, aber ihre Folgen sind im Familienleben und waren bis vor kurzer Zeit auch noch in der Tracht zu spüren.

Lichtlein im Tal ... dabei sieht man immer einen Öldruck vor sich. Aber was ‹Tal› ist, das empfindet man ganz, wenn man aus den Bergen herunterkommt, abgemattet, hungrig, es ist kalt — und da glänzen die ersten Lichter. Zum Beispiel: Barèges.

In Barèges habe ich drei Regentage verwartet, bis ich auf den Pic du Midi hinaufreiten konnte — denn oben lag Neuschnee, und es war im Ort schon empfindlich kalt. ‹Ort› ist übertrieben. Es ist eine lange Straße mit einem Badehaus und nicht viel Bemerkenswertem.

Nachmittags um halb vier ereignete sich auf dieser Straße ein Ereignis. Der Jäger war von der Jagd zurückgekommen und hatte seinen Hund neben sich, dem hing die Zunge aus dem Maul, und müde war er auch. Sie hatten sich einen Hasen besorgt, die beiden.

Vor der Tür des Fleischerladens aber saß Rudolf I., Schlächterhund und Straßenkaiser. Ob in der Mittagssuppe zu wenig Knochen waren, ob der verdammte Rheumatismus die Laune des Alten beeinträchtigte, kurz: der Jagdpeter ärgerte ihn, er nahm sich kaum Zeit, zu knurren ... dann sprang er an. Erst hörte man dieses schnurrende Geräusch, das entsteht, wenn zwei Hunde sich ineinander verbeißen — dann lag der Jagdpeter unter dem großen Doggenkaiser. Der saß auf ihm, als wollte er ihn ausbrüten. Der Jäger rief und schimpfte, er näherte sich mit der Flinte, aber nur des Eindrucks halber, den er auf Rudolf völlig verfehlte. Der Jagdgenosse lag immer noch im Straßenstaub, der Riese auf ihm, und der da unten telegrafierte seinen Herrn an: er wedelte. Er tat einem so leid ... «Ich weiß ja, daß ihr da seid», sagte der Wedel. «Schafft mir doch nur diesen Lümmel vom Hals — er beißt mich ja tot! Das geht doch nicht —!»

Die ganze Straße war in Aufruhr, es fehlte nicht viel, so hätte man den Gendarmen alarmiert. Keiner wagte sich an die Mordgruppe ... schließlich stand Rudolf I. auf und schickte sich an, die Straße hinunterzutraben. «Huh!» schrien die Damen, und die Ladenfrauen gingen alle in ihre Läden, wie wenn Mikosch des Weges daherkäme. Der arme Jagdgehilfe stand auf, schüttelte sich, sah seinen Herrn an: «Das war ja eine schöne Bescherung!» — und dann gingen sie fort.

Rudolf I. spreizte die Straße hinunter, den Schweif hoch erhoben, außerordentlich stolz und zufrieden — das wäre ja auch noch schöner! Einzug durchs Brandenburger Tor, Gladiatorenmarsch. Da aber geschah etwas ganz Seltsames. Ein Schlächterbursche sah ihn kommen, und als sie auf gleicher Höhe waren, warf er ihm mit erschreckender Schnelligkeit einen Besen auf den Rücken. Bautsch! Er hatte genau getroffen. Der große Hund machte einen Satz zur Seite ... und nun war es auf einmal gar kein Held mehr, sondern ein lächerlicher Raufbold, der rechtens die Kehrseite voll bezogen hatte, weil er schwächere, ehrliche Leute malträtierte. Er lief schaukelnd und grollend davon, und alle Leute lachten ihn aus.

Nichts ist förderlicher für Diktatoren als ein Besen ins Kreuz.

Das ist in allen Tälern so.

DREI TAGE

Luchon ist ein großer Badeort, besonders wenn niemand da ist.

Wie schön und erholsam sind Badestädte, die leer sind —! Die Brust der Badegöttin atmet nur leise, die Geschäfte sind zwar geöffnet, ja, ja ... aber die Kaufleute haben sich satt und müde geneppt und winken nur noch schlaff mit dem Finger, wenn ein Badegast vorüberwandelt. Die Luft steht still, die Wege sind rein, und das Schönste, was es nun gibt, ist eine leere Straße. Auf dem saubern Platz am Badegebäude spielt die Kurkapelle — sie bläst und fiedelt, ohne rechte Überzeugung von ihrem Tun, denn nur drei Dackel und etliche Kinder hören ihr zu. Alle Leute machen ein Gesicht wie eine Frau in einem Zimmer ohne Spiegel und ohne Männer. Es lohnt nicht.

Das Kasino steht in seiner gebackenen Pracht da, müde hängen die Stuckornamente herab, und im Park fallen die gelben Blätter. Der ganze Ort hat sich mit einem schleierdünnen Tuch zugedeckt ... gleich schläft er.

Oben, in Super-Bagnères, wohin die Zahnradbahn hinaufklettert, haben wir das Hotel — noch nicht, nicht mehr. Der Sommer ist vorbei, und die Leute vom Wintersport sind noch nicht da. Für mich ganz allein wird ein Frühstück geschlachtet, und träumerische Einsamkeit umfängt mich im weißen Lavabo.

Wenn sich der Schwarm verlaufen hat, lasset uns schwärmen.

In Foix gibt es ein trutz'ges Schloß; es ist nicht einmal so sehr hoch und nicht einmal so sehr groß — aber die Felsen mitten in der Stadt fallen so schroff ab, daß ein amerikanischer Zeichner unter sein gutes Bild gesetzt hat: ‹Schloß zu Foix: Typus der Feudalherrschaft›. Es ist Stein gewordener Wille.

Hier haben sie einmal, im Jahre 1808, eine Verrückte eingesperrt, eine Schwester Kaspar Hausers. Man fand die unbekannte Frau völlig nackt in den Bergen, rufend, kletternd wie eine Gemse, Beeren essend ... sie jagte davon, als die Hirten hinter ihr her waren. Sie bekamen sie doch — sie entfloh aus dem Arrest. Sie fingen sie ein zweites Mal, nachdem sie im Gebirge überwintert hatte; niemand weiß, wo; niemand weiß, wer ihr Nahrung gegeben hat, und sie steckten sie in das Schloß zu Foix. Der Präfekt hatte seine liebe Not mit ihr: sie war nervenkrank, das war klar, aber im Departement war keine Irrenanstalt, und die Nachbardistrikte wollten die Fremde nicht aufnehmen. Man berichtete nach Paris. Fouché war damals Polizeiminister, die Sache lief ihren Aktengang.

Da meldeten sich eines Tages zwei Gefängniswärter auf der Polizei in Foix und gaben an, die Unbekannte sei im Gefängnis ‹plötzlich gestorben›. Nun, das kommt vor ... wir haben junge Beispiele.

Die Frau hatte aber in ihren Anfällen gerufen: «Was wird mein armer Mann sagen!» und ein romantisch veranlagter Unterpräfekt veröffentlichte etwas später einen langen Artikel über die ‹Irrsinnige aus den Pyrenäen› im ‹Journal de l'Empire› in der Nummer vom 17. Januar 1814. (Es ist dies das nachmalige ‹Journal des Débats›, das noch heute besteht.) Darin ließ er manches Geheimnis durchschimmern, ohne eines zu lüften; nun nahm die Hintertreppenliteratur die Geschichte auf und überschwemmte Frankreich mit schönen und schauerlichen Romanen von der entführten Gräfin und Räubersbraut ... Sie ist nun längst tot und hat ihr gut Teil zur Unterhaltung des Publikums beigetragen. Die Irrengesetze tun es noch heute, aber das ist nicht so harmlos.

Wenn man von dem dickgemauerten Schloß heruntersteigt und zum Beispiel ins Rathaus zu Foix geht, so kann man, wenn es sich grade trifft, Zeuge eines Schulexamens sein, das da abgehalten wird. An diesem Tage standen die kleinen Mädchen mit hochroten Köpfen auf den Korridoren herum und tuschelten sich die Ergebnisse und ihre Befürchtungen ins Ohr. Milde Lehrer stellten in einer Stube Fragen — sie halfen nach, aber die jungen Damen schwitzten Blut und Wasser vor Angst.

Ich saß noch ein Stündchen bei den Rathausbüchern in der kleinen Munizipalbibliothek.

Und dann ging ich durch die Straßen und sah alles an und

guckte überall hinein und freute mich des Glücks der Fremden: dabei zu sein, ohne dabei zu sein.

Ein paar Wegstunden von Luchon, in der Ebene, steht die Kirche und das Kloster von St.-Bertrand-de-Comminges. Die hat die schönsten Holzschnitzereien, vor denen ich gestanden habe.

Es ist eine alte Kirche mit einem verwitterten Portal; die Pförtnersfrau, die mich herumführt, ist so asthmatisch, daß ich Luftbeklemmungen habe, wenn sie lange Sätze in Angriff nimmt. Aber als sie die innere Gittertür aufschließt, höre ich gar nicht mehr zu, was sie betet — ich sehe nur.

Innen in der Kirche steht ein Chor mit Holzstühlen und einer rechteckig herumlaufenden Holzwand. Es ist unfaßbar, was sie da gemacht haben.

Es wimmelt von Figuren, Emblemen, Wappen, Köpfen, Körpern, Blumen und Gruppen. Keine Verzierung wiederholt sich auch nur ein Mal; alles ist bis ins letzte durchgearbeitet. Ein verrückter Bildhauer hat einmal seinem Arzt erklärt: «Ich sehe das Holz an, und dann sagt es mir, was es werden will»; so etwas ist auch hier vorgegangen. Es gibt da wilde Anhäufungen: indische Reminiszenzen; zwei Mönche, die sich um einen Bischofsstab streiten, sie haben Affenzüge und zerren am Stock, als ob sie damit sägen wollten; hervorragend unanständige Details; Apostel. Klappt man die Sitze hoch, so zeigt sich ein kleiner Untersitz, der aus einem Kopf besteht, und jeder Sitz hat seinen besondern — es ist ganz erstaunlich. Adam und Eva sind zu sehen: man möchte die Konturen der Körper nachfühlen, so laufen die Linien. Ein Holzwunder, den Altar haben sie farbig zugerichtet; es soll zwanzigtausend Francs kosten, die Kolorierung und Vergoldung wieder abzukratzen.

So lange habe ich da herumgestanden, daß ich schnellen Schrittes gehen mußte, um nach Gargas zu kommen. Zur Höhle von Gargas. Nun, es ist eine Höhle wie andere auch.

Aber der neue ‹Pitaval› kennt den Ort, und auch ich kannte ihn: Blaize Ferrage, der Menschenfresser, hat da gewohnt. Das war ein kleiner, übermenschlich starker Bursche, ein Maurer, der sich 1779 vom Leben der Menschen losgelöst hatte und einsam in dieser Höhle wohnte. Sie war wohl damals nicht so zugänglich wie heute; er hauste da, ganz für sich, stahl ab und zu, was er sich allein nicht herstellen konnte, und fraß Menschen. Er stieg wahrhaftig in den Bergen umher, und wenn ihm junge Frauen in die Hände fielen, schlachtete er sie. Männer fraß er nur, wenn er Hunger hatte, Kinder mochte er besonders gern.

Die Gegend flammte in Entsetzen. Schließlich fingen sie ihn —

sie hatten ihm einen Sträfling hinaufgeschickt, der sich die Begnadigung verdienen wollte, mit dem schloß er Freundschaft, der Freund verriet ihn. Am 13. Dezember 1782 wurde er gerädert.

Und nun werde ich ja wohl vom Reichsverband Deutscher Menschenfresser einen Prozeß angehängt bekommen: wegen Berufsstörung.

ALLEIN

Wenn das Stubenmädchen Wasser und Handtücher gebracht hat, sagt es: «Brauchen Sie noch etwas?» Das ist eine rhetorische Frage, und dann zieht es die Tür hinter sich zu. Nun bin ich allein.

In einem fremden Hotelzimmer öffnet man das Fenster und macht es wieder zu und geht hin und her. Die Bilder an den Wänden sind töricht, natürlich. Wenn man sich gewaschen hat, kann man pfeifen. Dann lege ich den Kopf an die Scheiben und mache ein dummes Gesicht. Die Nägel könnte ich mir auch mal schneiden.

Was tue ich eigentlich hier —?

Jetzt wäre schön, bei Gauclair in Paris mit einer runden, bequemen Dame zu sitzen, mit einer, die weder Hemmungen noch Probleme geliefert haben will, sie sagt: «Iß nicht so schnell — mein Gott, ich nehms dir doch nicht weg —!» Ja, Paris.

Die Pyrenäen gehn mich überhaupt nichts an. Da treibe ich mich nun schon seit zwei Monaten umher, laufe und fahre von einem Ort in den andern, wozu, was soll das. Für morgen steht im Notizbuch eine besonders schwierige und mühselige Sache, und zwei ältere Bücher darüber muß ich auch noch lesen, vielleicht hat sie die Bibliothèque Nationale ... das ist ja alles lächerlich. Wie kalt die Fensterscheibe ist —

Jetzt schnurren die Gedanken in affenhafter Geschwindigkeit, die kleinlichsten Geschichten kommen wieder angetrabt, kein blutiger Schatten — viel schlimmer: Dummheiten. Herein! Es hat wohl nur einer an die Wand geklopft. Was sind das für —

Alles kommt wieder. Es plagen und zwicken mich die verpaßten Gelegenheiten, die Antworten, die ich nicht gegeben habe, die kleinen Demütigungen, eingesteckt und bitter heruntergeschluckt, aber ein Nachgeschmack bleibt. Da stehe ich nun im Hotelzimmer und sage mir alles vor, was ich einstmals hätte sagen sollen, aber versäumt habe, zu sagen — aus Torheit, aus Mangel an Geistesgegenwart, aus Furcht ... Jetzt hole ich es alles nach. Ich sage:

«Achttausend Mark, zahlbar am ersten Januar. Etwas andres kommt gar nicht in Frage.» — Ich sage: «Unmöglich? Tun Sie nur erst Ihr Mögliches, Herr — das Weitere wird sich finden!» — Ich sage: «Deinen Ring, Lisa.» — Ich sage: «Hier liegt wohl ein Mißverständnis vor, ich habe Sie um eine sachliche Angabe, nicht um private Meinungsäußerungen gebeten.» Da war ein Brief ... den habe ich nicht geschrieben, ich schreibe ihn jetzt. Ich gebe es allen ordentlich — sie fragen so recht dummdreist, und meine Antwort kommt wie aus der Pistole geschossen.

Wie dunkel es ist und wie kalt. Sie könnten hier wirklich heizen, das schadete gar nichts. Aber dieser Repräsentationskamin da ... pah! Ich mag morgen gar nicht aufstehen. Soll ich krank werden? Ich werde einfach sagen: ich bin krank. Dem Führer mit seinen Pferden wird das übrigens gleich sein, denn er ist bestellt, und ich muß ihn bezahlen. Und hier im Hotel macht das Kranksein auch keinen rechten Spaß. Aber ich gehe ganz früh zu Bett, das sage ich dir. Wem ...? Das sage ich dir.

Wenn sie guten Rotwein haben, werde ich mir fürchterlich einen ansaufen. Vielleicht gibt es Vieux Marc, aber nicht in diesen kleinen Gläsern.

Jetzt ist es blaudunkel.

Wenn jetzt einer hereinkäme und mich fragte: «Sagen Sie mal, was machen Sie eigentlich hier —?» ich müßte antworten:

«Ich vertreibe mir so mein Leben.»

DIE REPUBLIK ANDORRA

Sie waren vier Schwestern: Andorra, Liechtenstein, San Marino und Monaco — und wir durften sie beim Roten in der Geographiestunde rasch aufsagen: Andorra, Liechtenstein ... und die Hauptstädte — und aus. Inzwischen hat sich die Familie bedeutend vermehrt, denn was wir da alles an kleinen Staaten in Europa dazubekommen haben, tut diesen vieren keinen Abbruch, sondern macht sie zu ganz respektabeln Anwesen.

Die Andorraner sind 5200 Menschen, also ein paar Straßen voll. Aber die Täler, die sie bewohnen, sind nun einmal seit Jahrhunderten eine Republik, eine selbständige Sache — zuletzt wurde das im Jahre 1806 geregelt, und Spanien und Frankreich bekommen noch heute das Überbleibsel eines Tributs: an den Präfekten der Ostpyrenäen gehen 900 Francs im Jahr, an den Bischof von Urgel 450 Pesetas. Im übrigen läßt man die Andorraner in Ruhe.

In Bourg-Madame ging ich über die Grenze — zunächst nach Spanien. Eine hellgelbe Baumallee durchfuhren wir, der Herbst setzte ein, und die Blätter schrien im Licht. In Puigcerda standen die Bauern auf dem Markt, von wegen Sonntag; ein altes Überlandauto nahm mich auf, ein Kasten, der kurz vor Erfindung des Automobils in Gebrauch genommen worden war. Es war aber erstaunlich, wo diese Arche fahren konnte! Mit einem Pferdewagen wäre es auf den spanischen Landstraßen schon nicht sehr heiter gewesen, aber nun —! Das riesige Boot schwankte und taumelte von einer Seite auf die andre, der Hund, der auf dem Verdeck angebunden war, machte sich vor Angst in die Hosen, und daher regnete es — und die Fahrt nahm nie ein Ende. Aber sie war schön. Wir fuhren, dreiunddreißig Bauern und Bauersfrauen, neunundneunzig Bündel, Stücke, Körbe, Koffer, Kisten, Käfige ... wir fuhren in eine weite Ebene, die großen, weißen Wolken standen da oben unbeweglich, und ich war so froh, einmal aus dem Gebirge hinausgekommen zu sein und nach Monaten endlich wieder die flache Erde zu sehn. Wir passierten zweihundert Gendarmen und dreihundert Pfaffen. Hier und da sah man auch Menschen.

In Seo de Urgel, dem Bischofssitz, war umzusteigen. Ein riesiges Bischofshaus stand da, es sah aus wie eine Kaserne, und das war es ja wohl auch. Und dann blätterte noch einmal ein spanischer Gendarm in meinem Paß, kratzte sich hinterm Ohr, holte sich eine Fibel, lernte rasch die großen Buchstaben ... und dann war ich in Andorra.

Die Täler sahen aus wie alle Pyrenäentäler dieser Gegend — aber als wir nach Andorra-la-Vella kamen, der Hauptstadt, da sah ich den Unterschied. Die Hauptstadt hat fünfhundert Einwohner, und diese Belegschaft eines berliner Ackerstraßenhauses verteilt sich in graubraunen, primitiv gebauten Häusern, die Feldsteine sind nicht übertüncht, sondern liegen nackt. Die Ritzen sind mit Erde verstopft.

Es war später Nachmittag. Ich klapperte durch die grob gepflasterten Straßen, und was nie in Frankreich geschehen war, geschah hier: Kinder bettelten mich an. Bitten, ausgestreckte Hände — und ein paar ganz kleine Steinchen. Das Hotel war ein altes Haus wie die andern auch, der Wirt sprach Katalanisch, wie alle Leute in Andorra, aber wir kamen einigermaßen zurecht miteinander. Ich wollte ‹das Haus› sehen. ‹Das Haus› — als ob es nur dies eine gäbe; Casa de la Val ist das Regierungsgebäude.

Es war grade keiner drin. Es erschien ein riesiger Schlüssel mit einem Mann hinten dran, beide schlossen auf. Außen war ein bißchen Latein an der Tür, innen war ein Schulraum mit alten Fresken und nackten Bänken und einem Lehrertischchen. Daneben das Beratungszimmer des Rats. Es sind vierundzwanzig Männer, die das

Land verwalten, vier aus jeder der sechs Gemeinden: Canillo, Odeillo, La Masana, Encamps, Andorra, San Julia de Loria. Dieser Rat wird alle zwei Jahre zur Hälfte erneuert; das ist seit Jahrhunderten so. Zwei Vögte führen die Verwaltungsgeschäfte, einer ist von den Franzosen, der andre von den Spaniern ernannt. Sie sind Chefs der Landesmiliz. Es gibt aber keine.

Neben dem Beratungszimmer lagen der Eßsaal und eine kleine Kapelle. Ich wußte, was sich in dieser Kapelle befinden mußte, und ich suchte es mit den Augen. Eine alte Kopierpresse lag in der Ecke, das konnte es nicht sein, ich getraute mich nicht recht, zu fragen... Da hob der Schlüsselmann die Presse in die Höhe und sagte, das wäre es: la garotte — die Schraube, mit der man Leute erwürgen kann, wenn man will. Der Schlüsselmann sagte, er hätte das noch in seiner Jugend mitangesehn.

Und er zeigte mir die Amtskleidung der Räte, die Galaröcke der Vögte, ihre Dreispitze — alles zeigte er mir. Trutz'ge Bauern, die da ihre stolze Unabhängigkeit bis auf den heutigen Tag bewahrt haben. Aber auf der Pappschachtel, in der die guten Staatshüte lagen, stand: ‹Columbia U.S.A.› Ich sah ein, daß ich dem deutschen Ideal ganz nahe war: Mittelalter G.m.b.H. Trotz aller Sprüche der Andorraner: ‹Toca hi so goses› heißt einer etwa: ‹Fire, but don't hurt the flag!› — es sind doch keine Ritter mehr. Ritter bezogen nur ganz selten ihre Hüte aus Amerika. Und dann ging ich wieder auf die Gasse.

Die war mittlerweile dunkel geworden, und ich schlich mich auf den kleinen Marktplatz, der sonderbar und finster dalag. An der Kirche vorbei... Das Pfarrhaus lag am Marktplatz, und eines der Häuser war so wunderlich bemalt mit blassen Farben und Figuren... Die Traumstadt ‹Perle› von Kubin gibt es nicht. Aber hier lag sie. Eine Katze huschte an meinen Füßen vorbei. Ich drehte mich um: durch die krummen Gassen schleifte die Cholera ihre Gewänder, ein Laken fegte um die Ecke... es wäre ein bißchen kalt, fand ich, nun könnte man wohl nach Hause gehen.

Es gab, mit einem süßen spanischen Wein, so viel zu essen, daß mir himmelangst wurde. Ein spanischer Handlungsreisender war auch da, und wir begannen eine merkwürdige Unterhaltung, die ihr Fundament in romanischen Wörtern eigener Prägung hatte... Es war nicht leicht. Am nächsten Morgen ritt ich ab.

Ich zog mit einem Führer die Nationalstraße Andorras entlang; sie ist einen Meter fünfundsiebzig breit und höckrig. Eine Fahrstraße durch das Land gibt es nicht. Die Staatspost ging mit uns und erzählte sich ellenlange Geschichten mit dem Eselstreiber; sie marschierten in gleichmäßigem Schritt, und dabei sprachen sie ununterbrochen. Ich verstand kein Wort — aber wenn sie ihre Feinde nachahmten, das verstand ich gleich. In ihrer Rede kam nach dem schreienden Diskant des Gegners der ruhige Männerton zur Geltung — das war dann der Berichterstatter selber, der gesprochen hatte, ein umsichtiger, vernünftiger Mann.

Wir kamen an Eskaldas vorbei, einem kleinen Flecken mit etwas feinern Häusern; ein schwacher Ansatz war zu bemerken, das Ding als Badeort auszugeben, aber sie schämten sich wohl selber ein bißchen und so blieb es bei einigen Aufschriften. La Mosquera erschien und Meritxell, da stieg ich ab. Ich wollte die Kirche sehen, zu der die Leute gewallfahrt kommen. Es war eine weißgetünchte kleine Bergkirche, mit hübschem gedecktem Gang draußen vor der Tür; drin stak alles voll Weihgeschenken und frisch gekauften Statuen. An einer versteckten Stelle schien die Sonne hindurch und warf ein hellgrünes Mondantlitz auf die gegenüberliegende Wand, das war offenbar ein himmlisches Gesicht. In Soldeu blieb ich sitzen.

Der Briefträger und der Eselstreiber aßen mit mir zusammen Mittag — um wieviel anständiger benehmen sich oft Romanen als manchmal andere Leute! Es waren doch Bauern, aber da war nichts Schmeichlerisches und nichts Rohes — es war ein Mittagessen unter drei Gleichberechtigten, und sie hatten gute Tischmanieren und aßen appetitlich. Nur mit dem Trinken war das nicht einfach; da gab es so eine Glasflasche mit einem dünnen Rohr, das man sich eine Spanne breit vom Gesicht weghielt, und dann ergoß sich ein dünner Strahl in den Mund. Bei mir auf den Fußboden. Nachmittags legte ich mich ins Gras.

«Jede Provinz, jeder Winkel auf der Erde gibt dem Vorüberkommenden, der keine Zeit hat, lange zu verweilen, etwas mit, was ich ein Stückchen Herz nennen möchte. Manchmal ist es ein Schritt Tanzender; ein paar Töne, vom Fels zurückgeworfen oder vom Wind getragen, ein Nichts ... irgend etwas ganz Simples ... ein Stein, das bemooste Kreuz an der Straße, ein verfallenes Grab ... und alles spricht.» So stand in einem Reiseführer durch Andorra, und das ist richtig. Was war es denn —?

Ein heißer Tag und das herrliche Gefühl, in der roten Hitze eisig kaltes Wasser aus einem blitzenden Glas zu trinken, die Müdigkeit nach dem Ritt und dann die Ruhe im Gras. Eine Stute beschnupperte mich und ging langsam weiter; ein paar Schweine kamen und brachen mit großem Gegurgel einen Kohlgarten auf, darauf verjagte sie die Bauersfrau: «Hé, hé! Porc! Porc!» Das bezogen die Schweine auf sich und liefen eilig davon; dann schlief ich ein. Als ich aufwachte, stand die Sonne schon tiefer, und drüben, auf der andern Seite des Tales, sang eine helle Männerstimme ewig dieselben sechs traurigen Töne: d, b, g; c, as, f — Die kleine Melodie verwob sich mit dem Grillenzirpen und dem leisen Wind zu einem weichen Netz . . .

Dann überkam mich unbändige Lachlust: ich mußte an das Buch von Isabelle Sandy denken: ‹Andorra oder Die Männer aus Erz›. So sah das Land grade aus. Das ist die Räubergeschichte von einer andorraner Familie, die wegen des Erbrechts, mit dem es ähnlich stand wie bei den Basken, viel Sorgen hatte. Der Vater wollte den Jüngern zum Erben, also zum Alleinerben machen, und der Ältere tötete und mordete wie ein Marder die ganze Konkurrenz, die ihm in den Weg kam. Da ging es zu —! Geballte Fäuste, geknirschte Zähne, mit Pulver gefüllte Holzscheite für den heimischen Herd, verführte Mädchen, erschossene Schmuggler, geschluchzte Gebete und zum Schluß Absprung des Bösewichts in den Schlund der Hölle. Von dem Edelmut, mit dem das uneheliche Kind heimlich mit Land dotiert wurde, gar nicht zu reden.

Nun, die andorranische Jugend in Andorra-la-Vella hatte am Sonntag zum Klang eines mechanischen Klaviers Onestep getanzt, und was die Rechnungen dieser treuherzigen Landbevölkerung anbelangt, so hatte man das Gefühl, unter die Räuber gefallen zu sein. Sie machten kräftige Frankenpreise und setzten hinter die Ziffer: Peseta. Was eine romantische Multiplikation mit dreieinhalb bedeutete.

Man kennt ein Land natürlich nicht, wenn man es nur bereist, ohne darin zu leben. Aber Salontiroler . . . nein: die ganze Sehnsucht einer zu kurz gekommenen Klavierlehrerin sprach aus dem Buch, die Verachtung, mit der die poesielose Stadt Paris beiseitegeschoben wurde — da droben, bei euch, ihr Starken, da wohnt das Glück! Heirate, mein gutes Kind. Aber das macht den Leuten in der Stadt so unendlich viel Vergnügen, Romane in die Natur zu verpflanzen. Bäuerliche Heldenverehrung ist die Romantik der Dummen.

«Wenn ich den Wald besinge, tue ich das deshalb, weil die Fabrik wütet . . .» So Isabelle Sandy. Wo wolltest du leben? In dem muschelförmigen Tal Andorras, umgeben von Faunen und Waldgöttern? Gegen Morgen hätten sie dir eine Rechnung präsentiert:

Eine Waldorgie . . . 85 Pesetas.

Von Hospitalet, im Französischen, ging früh ein Auto ab, das mußte ich haben. Dazu war es nötig, nachts zu marschieren. Ich verabredete mit dem zweiten Briefträger der Staatspost das Nötige und verließ den Ort morgens, um vier Uhr.

Der Mond hing hoch über dem Tal, es war kalt, und alle Sterne flimmerten. Totenstille. Den Weg hatte ich nach der Karte auswendig gelernt; verfehlte ich ihn, war ich meinen Briefträger los, der hinter mir heraufstieg. An verschlossenen Häusern kam ich vorbei, an einer dunkeln Scheune und an einem Steinbruch. Er bewegte sich. Da lag, im kaltbleichen Mondschein, eine Schafherde im Pferch, wie versteinert ruhten sie, nur die vordersten kauten leise und hoben die Köpfe. Ich blieb stehen — hundert Augen sahen mich an.

Dann entfärbte sich der Himmel, auf den Hügeln wurde es Licht, jetzt stieg der Weg an, und nun hörte ich unten den Briefträger pfeifen. Ich wartete. Dann wurde es immer heller, die Felsen gegenüber waren rosenrot, der Mond blieb oben stehen, um ja nichts zu versäumen — jetzt mußte die Sonne aufgegangen sein, aber wir sahen sie noch nicht, der Paß verdeckte sie.

Der Briefträger legte ein Tempo vor ... Er ging, wie Älpler gehen: ganz leicht. Man sah ihm an, daß er sich nicht anstrengte, sein Schritt war von vollendeter Gleichmäßigkeit, hinauf, hinunter, kein Unterschied. Ganz oben auf dem Paß lag Reif.

Wir stiegen zu Tal. Wir kamen an die kleine graue Brücke: die Grenze. Nun war ich wieder in Frankreich, und das freute mich. Der Mann lief, aber man sah das nicht; welche Beine —! Die Sonne ergoß sich noch purpurrot auf den breiten Weg, die Täler lagen still, nur einmal begegneten wir ein paar Füllen. Hoch oben stand das Eingangshaus zu einer verlassenen Eisenmine.

Die Fünftausend da hinter mir sind Bauern, und kleine Bauern. Es gibt etwa sieben oder acht wohlhabende Familien — der Rest schlägt sich so durch. Die Gemeinden nehmen durch die Pacht der Berghalden dies und jenes ein; großer Wohlstand herrscht da jedenfalls nicht. Was die Viehzucht nicht bringt, macht natürlich der, sagen wir, Transithandel. Da gab es einfache Andorrabauern, die bestellten sich aus Frankreich die teuersten Mähmaschinen, die mehr kosteten, als ihr ganzer Besitz wert war. In Andorra wurden diese Maschinen auseinandergenommen und über die Berge nach Spanien getragen: auch hier eine große Kraftanspannung, körperliche Arbeit, Mut — und eine elende Bezahlung. Alle Welt weiß das, hier an der Grenze erzählten mir zwei französische Gendarmen voller Bonhomie die schönsten Schmugglergeschichten und suchten mit ihren Ferngläsern die kahlen Bergwände ab. Es kam aber keiner, und in meinen Morgenschuhen war kein Tabak.

Republik Andorra...! Dieser Staat hat — im Gegensatz zu Hamburg — in Berlin keinen Gesandten. Wenn aber die Republik Andorra in Deutschland läge, hätte sie einen, aber dann wäre es keine Republik.

Waren die Mädchen Andorras eigentlich hübsch —? So sehr nicht, aber schließlich ... Die Andorraner brauchen nicht zu dienen — weder in Spanien noch in Frankreich. Und wenn man eine Andorranerin heiratet, dann erwirbt der Mann ihre Staatsangehörigkeit.

Ewig werde ich mich nach den Frauen dieses Landes zurücksehnen. Welcher Seelenadel! Welcher Zauber! Welches Feuer —! Und welch schöne Staatsangehörigkeit.

AUF DER WIESE

Nun bin ich aus den stillen, kalten Tälern heraus, in einem großen Halbkreis bin ich durch Andorra gezogen, und da stehe ich nun wieder in Bourg-Madame. Die weite Ebene —

Die Hitze brennt, ich habe den ganzen Vormittag Zeit; der kleine elektrische Zug, der nachher rings um dieses ungeheure Loch in den Bergen herumfahren wird, ist noch nicht da. Jetzt liege ich auf der Wiese unter den blitzenden Bäumen, ziehe Grashalme aus dem Boden und freue mich meiner Faulheit.

Das sind also die Pyrenäen? Sieh an. Wollen wir nochmal zurück ... bis zum Ozean? Es war doch ein weiter Weg, wie? Wenn ich jetzt ganz grade in die Luft aufstiege, kerzengrade, sagen wir: tausend Meter hoch — dann sähe ich mit einem Zauberauge alle kleinen Kirchen in den Bergen. Es waren hübsche alte Gotteshäuser dabei; merkwürdig, was die Geistlichen damit machen. Immer steht neben den schönsten Schnitzereien Schund aus dem Fünfzig-Pfennig-Basar — sehen sie das nicht? Nein, sie sehen es wohl nicht. Was mögen das für Leute sein, diese Geistlichen?

Einmal, bei St. Girons, saßen drei in dem Verkehrsmittel, mit dem ich fuhr. Die Mutter dieses Wagens war eine Kleinbahn, der Vater ein Tourenomnibus. Da saßen sie also und beteten aus ihren Gebetbüchern. Sie hatten bäurische Gesichter. Und der Landmann verleugnete sich bei keinem; stand eine Kuh auf den Schienen, wurde eine Gänseherde vorbeigetrieben, dann ließen sie das Brevier sinken, der Geistliche sank mit, und zum Fenster hinaus sah ein interessierter Bauer, der die ländlichen Dinge kannte, sie scharf ins Auge faßte und abschätzte ... Und dann beteten sie wieder. Einer blies die Luft von sich, als er fertig war: Uff! das wäre nun glücklich überstanden! Aber es sind tüchtige politische Agenten.

Und junge Geistliche habe ich gesehen, nein, Küken von Geistlichen, unsicher schwankend in den faltigen Röcken, unten sahen ein paar riesige Füße heraus. Es waren noch Jungen, man konnte sich diese Gesichter ganz gut bei einem Kellner, einem Handwerker, einem jungen Kaufmann denken... Aber wenn sie ein bißchen älter waren, dann lag auf dem Gesicht schon eine dünne Patina von Katholizismus: besonders um den Mund war das andre, etwas, das früher nicht dagewesen war, dieser Mund war wohl viel gebraucht worden. Und alle fünf Minuten verloren sie ihre Würde, wie man eine Mütze verliert, und wenn sie das merkten, setzten sie die Würde rasch wieder auf und sahen sich erschrocken um, ob's auch keiner gemerkt hätte.

Die Armen! Werden sie wirklich niemals erfahren, was Frauenliebe ist —? Der katalanische Bauer sagt: «A oune femme faut oun homme, soit oun mari, soit oun amant, soit oun directeur de conscience.» Oun heißt ein — und das andre dürfte wohl verständlich sein.

Da hinten, in Bourg-Madame, schreit ein Esel. Der Kerl, der aufgebracht hat, daß Esel ‹I—a› schreien, stammt aus der Stadt. Ein Bauer wäre auf solche Dummheit niemals verfallen. Ein Esel schreit überhaupt nicht — er pumpt. Er hat eine Pumpe im Hals und zieht Luft aus einem tiefen Brunnen. «Hüü — bcha ... Hüü — bcha ...» Vielleicht muß man ihn hinten am Schwanz ziehen, damit er vorn so jämmerlich schreit.

Man konnte den Esel nicht sehen — der Eisenbahndamm lag davor. Das war eine merkwürdige Eisenbahn. In Aix-les-Thermes endet die Strecke, die vom Norden, über Foix, kommt; bis Bourg-Madame an der Grenze gibt es dann nichts mehr. Aber die neue Transpyrenäische Bahn ist stückweis schon da: da steht ein Tunnel von sieben Kilometern fix und fertig, die Eisenbahndämme sind aufgeschüttet, die kleinen Brücken über den Straßen und die Bahnübergänge, alles ist schon gebaut. Sogar die Schranken. Nur die Schienen lagen damals noch nicht da. Aber das Allermerkwürdigste war, daß um diese Bahn, die gar nicht vorhanden war, schon eine Luft lag, wie wenn sie da wäre: die Straße am Bahnhof sah schon aus wie die Bahnhofstraße, es roch nach Rauch, die Gegend unmittelbar an den Orten, wo die Schienen einmal hinkommen sollten, war langweilig.

Diese Bahn wird die Gegend aufschließen; daran ist gar kein Zweifel. Auch Andorra wird sein Teil abbekommen, denn wenn man so bequem nach Hospitalet fahren kann, werden viele Leute die kleine Republik besuchen. Glückliche Reise —! Und das ganze Land wird in Hotels ersaufen, denn es ist ein schönes Land, die Berge sind nicht zu hoch und nicht zu niedrig: es ist grade so etwas für Leute, die sich erholen wollen. Das liegt heute alles so versteckt ... Frankreich stellt sich nicht hin und ruft: Seht! Wie schön ist es bei mir! Kommt einmal alle hierher! Nein, wenn du die Schönheit des Landes aufsuchen willst, dann mußt du sie suchen — findest du sie, ist es gut; findest du sie nicht, ists den Franzosen auch gleich. Aber das ist ja mit Paris genau dasselbe. Frankreich liegt nicht auf dem Präsentierteller.

Es ist ein großes Werk, das da in den Pyrenäen im Entstehen ist: die Elektrifizierung der Eisenbahn. Überall laufen riesige Rohre zu Tal, in denen das Wasser herunterpoltert, die Rohre sind fast alle braun und grün gefleckt, so daß sie von oben aussehen wie Landwege. Fliegerdeckung. Denn es gibt ja nichts, was nicht gegen die Zerstörung durch den schlimmsten Moloch der Welt geschützt werden müßte. Im Jahre 1910 haben sie mit der riesigen Arbeit begonnen. Zwei große Elektrizitätswerke sollen die Strecke versorgen: eins in Eget, beim Cirque de Troumouse, und das andre, in Soulom, das nimmt die Wasser von Cauterets und Pau auf. Das zweite verfügt über etwa zwanzigtausend Pferdestärken. Viele Strecken sind bereits elektrifiziert, und so wächst da in aller Stille eine moderne Eisenbahn.

Das nimmt natürlich den Gebirgsbächen, den ‹gaves›, mitunter die Kraft, und manchmal sieht man in den schönsten Tälern einen stillen Bach dahersäuseln: sein Bett ist ihm drei Nummern zu groß, er fließt artig dahin, mit wenig Wasser und ohne unnötiges Gebrause, es ist, als ob er sonntags zur Kirche fließt. Dem haben sie das Wasser abgegraben, und mit seiner Kraft kann ich oben schnell an ihm vorbeifahren.

Zerstört die Bahn die Poesie? Keine Spur. Sie verwandelt sie nur. Aber der Grund des Landes bleibt doch. Raymond Escholier, der lustig und bunt das Bauernleben beschreibt, erzählt einmal im ‹Cantigril› von den zahllosen Kommissionen und Aufträgen, die so ein Postillion der alten Schule mit auf den Weg bekam. Die Pferde ziehen schon an, da wird ihm noch nachgerufen: «He! Sag Finotte, das Schwein beim Schwiegervater wird Donnerstag geschlachtet! Hörst du? Donnerstag ...!» Und da ist die Postkutsche schon davongerasselt. Nun, das hat sich gar nicht geändert. Auf einer Kleinbahnstation stand im rinnenden, nachtdunkeln Regen der Zug, und im Lichterschwenken rief eine grelle Frauenstimme grade vor dem Wagen, in dem ich saß, den Schaffner an: «Was ist mit der Salbe für den Hund? Die ist wieder nicht mitgekommen! Sag doch, der Hund wär so krank!» — «Abfahren!» pfiff der Schaffner, aber ich konnte doch noch sehen, wie er ernsthaft mit dem Kopf nickte. Ob er sie mitgebracht hat? Darüber schlafe ich ein.

Als ich wieder aufwache, sagt mir der Wegweiser unter den Bäumen, wo ich bin. ‹Nach Bourg-Madame 0,2 km . . .› Wegweiser . . . Viele habe ich in den Bergen nicht getroffen. Auf manchen stand: ‹Geschenk von Citroën› — und viele stammten vom Touring Club de France. Der nimmt heute noch, 1925, keine Deutschen auf, steht also an kleinbürgerlichen Vorurteilen dem Deutschen Alpen-Verein keineswegs nach. Es sind wohl überall dieselben Kommerzienräte und Geheimen Oberbaudirektoren, die bei solchen Dummheiten den Ausschlag geben.

Da kommt ein Mistkäfer angekrochen. Ich frage ihn, ob er weiß, wie er auf lettisch heißt. «Nein», sagt er. Ich sage ihm. «Sie heißen Ssudebambel.» Ob er keinen andern Namen bekommen könne? Nein. Da kriecht er weiter —

Auf dem Weg geht eine Bauersfrau mit einem erheblichen Popo. In Andorra-la-Vella . . . da war im Gasthaus eine Frau bedienstet, die hatte eine leichte Andeutung von Steatopygie. (Der Deutsche Sprachverein: «Warum sagen Sie das nicht deutsch?» — Ich kann nicht. — «Warum nicht?» — So . . . — «Sagen Sies!» Fettsteiß. Sprachverein ab.) Dergleichen kommt bei Spanierinnen manchmal vor; ich weiß das aus den Büchern.

Ich weiß so viel aus Büchern über die Pyrenäen. Aber was habe ich gesehen? Was kann überhaupt ein Fremder sehen?

Ich denke immer: Wenn ein Berliner die Schilderung eines Amerikaners über seine Stadt liest, dann ist er amüsiert, gekränkt, geschmeichelt — aber auch ein bißchen unbefriedigt. Der Midi-Mann, der dieses Buch vielleicht in die Finger bekommt, der Pariser, dem ich zeige, was ich aus seiner Stadt nach Hause berichte, sie sagen bestenfalls: «Es sind keine groben Fehler in Ihrer Arbeit. So ungefähr sieht er aus.» Aber — aber es ist nicht *das*. («Ce n'est pas ça» ist ein sehr guter französischer Ausdruck.) Es fehlt für den einheimischen Leser irgend etwas, er kennt das doch anders; es ist eben der Fremde, der das geschrieben hat, einer, der ‹Sie› zu Paris sagt.

Der Engländer fährt durch Driesen an der Drüse und sieht, daß es ein kleines Amtsgericht hat, und schreibt sich das auf. Aber von dem Antrittsbesuch des Referendars, der da seine erste Station abmacht, von der einmaligen Wintergesellschaft bei Amtsrichters, vom Stammtisch und dem Knatsch mit dem Apotheker ahnt er nichts. Und wenn man es ihm zeigte, verstände ers nicht. Und wenn ers verstände, könnte ers nicht richtig wiedergeben. Und gäbe ers richtig wieder, dann faßten es seine Leser nicht. Weil es fremd ist, vom andern Ufer, und weil sie unter der abweichenden Form das Gemeinsame nicht wiedererkennen. Berliner Weißbier ist nicht exportfähig.

Ich habe immer Furcht, daß mich ein Baske, ein Katalane, ein französischer Unterpräfekt eines Tages auf der Straße anhalten wird, sich meine Notizen geben läßt, sie liest und dann spricht: «Mensch! Was weißt denn du —?»

Ist einer eine langweilige Type, dann nimmt er alle Tatsachen korrekt auf und darf schreiben: ‹Reise durch die Pyrenäen›. Jeder kann den Wittenbergplatz fotografieren, damit hat er alles gesagt und nichts.

Ist einer ein Kerl, dann steht er sich selbst im Wege, bei allen Schilderungen, und wenn er fertig ist, darf er nicht sagen: ‹Reise durch die Pyrenäen›. Er müßte sagen: ‹Reise durch mich selbst›.

DAS FORT

Von Bourg-Madame nach Villefranche-de-Conflent führt eine Aussichtsbahn erster Ordnung.

Villefranche ist von alters her befestigt und hats schwer, sich auszudehnen; das Tal ist an dieser Stelle sehr schmal. Oben, hundertachtzig Meter über der Stadt, liegt das Fort.

Vauban, der Baumeister Ludwigs des Vierzehnten, hat es verstärkt, und es ginge mich ja weiter nichts an, wenn da oben nicht deutsche Gefangene gesessen und einen Fluchtversuch gemacht hätten, von dem das Land heute noch weiß, und der nur einem geglückt ist. Das wäre anzusehn.

Man kann in Serpentinen nach oben steigen, aber weil die Dämmerung schon da war, schlug die Pförtnerstochter vor, innen hinaufzusteigen. Innen? sagte ich. Ja, es führten tausend Stufen hinauf, das Fort ist mit der Stadt im Fels durch eine Treppe verbunden. Ich rechnete rasch nach. Tausend Stufen: das waren gut und gern acht Miethäuser vom Keller bis zum Boden — hm. Nun, wenn es keinen Fahrstuhl gäbe ... Nein, einen Fahrstuhl gäbe es nicht.

Das Mädchen schloß unten die große Bohlentür auf, noch eine Tür, und dann stiegen wir in einem hohlen Gang kerzenbeleuchtet auf Treppen nach oben. Das war eine massiv gebaute Sache, ich sah keinen abgebröckelten Stein. Mit den damaligen Kanonen war die unterirdische Verbindung unerreichbar. Wenn wir pausierten, gingen meine Schulterblätter auf und nieder, und um zwei Pfund leichter kam ich oben an.

Da sperrte die nächste Tür. Die Pförtnerstochter stemmte sich dagegen, ich half ihr ... nichts. Etwa drei Meter über dem Boden stand ein Fenster auf. «Ich werde hinaufklettern!» sagte die Pförtnerstochter. Sie stellte also eine alte Tür gegen die Mauer, kletterte und eskaladierte die Wand hoch. Ich stand dick und dumm daneben. (Edschmid wäre mit der Riesenwelle nach oben geflogen, Ewers hätte der Dame ein Kind verursacht, und Bonsels hätte in ihrer Seele geblättert.) Ich stand also daneben. Sie kam hinauf, schwang sich durch das Fenster, ich hörte einen dumpfen Sprung, dann öffnete sie die Pforte. Welch ein Mädchen —!

Da waren wir nun im leeren Fort. Das Fort ist eine kleine Stadt für sich, mit Kasernen und Wirtschaftsgebäuden und Wachthäuschen und Türmen. Und da hatten die Deutschen gelegen.

Am 9. Oktober 1916 lösten sie oben die Alarmkanonen. Zwölf Gefangene waren entflohen. Sie hatten unter der Latrine einen Gang ins Freie gegraben, das war eine monatelange Arbeit gewesen, man kann die Stelle noch sehen. Dann hatten sie sich gegen sechs Uhr abends an einem Strick aus Bettüchern am Felsen heruntergelassen, ein paar Meter, nun standen sie auf dem Weg. Und von da waren sie im Dunkel heruntergeklettert. Einer ging die Bahnschienen entlang, den fingen sie gleich. Die andern wurden in den Bergen gefunden, und nur ein einziger, erzählte die Pförtnerstochter, sei über die Grenze entkommen. Was wäre, wenn ich ihr jetzt ganz still sagte: «Ja, Fräulein. Das war ich»? Aber ich war es nicht. Die elf andern kamen dann in die Festung Cette.

Ich sehe die Zimmer, in denen die Deutschen gewohnt haben; an einer Tür steht noch ein Zettel: Leutnant Kieffer. Und das hier waren ihre Gemüsebeete, sie haben auch Kaninchen gehabt. Was war das für ein Gefangenenlager?

Es war ein Offizier-Gefangenenlager. Und nun ist meine Neugier fast ganz verglommen. Du lieber Gott: sie hatten ihre Ordonnanzen, die gingen in Zivil zur Stadt und kauften für sie ein, sie hatten alle möglichen Freiheiten, und so wenig es irgendeinem Menschen einfallen wird, sie glücklich zu nennen: die Stuben waren ganz passabel und mit den Baracken großer Mannschaftslager nicht zu vergleichen.

Denn dieser Stand ehrt sich nach absonderlichen Gesetzen, die er sich selbst gemacht hat, und schützt noch den Kollegen von der andern Firma, ohne den es keine Existenzberechtigung für ihn gäbe. Daß es Volksheere sind, die sich da auf Befehl der Geldgeber totschießen — davon wissen sie nichts. Sie spielen noch immer Landsknecht, und die gefangenen Offiziere halten Kaninchen und pflanzen Gemüsebeete. Der Disziplin wegen. Die Berichte der deutschen Mannschaften, die in Frankreich gefangen gewesen sind, klingen ein wenig anders.

Worauf wir wieder den kleinen Eiffelturm im Felsen hinuntersteigen — manchmal sieht man durch Fensterchen ins Freie. Da glitzern die Lichter im schwarzblauen Tal, ein schwacher Peitschenknall ertönt, und die Fledermäuse schwirren um das Fort. Gute Nacht, schöne Pförtnerstochter (ohne Kuß).

Eine halbe Stunde von Villefranche, in den Bergen, liegt Vernetsle-Bains. Unterwegs, in Corneilla, kann man in die uralte Kirche eintreten, wo schöne Madonnenfiguren lieblos in eine Ecke gestellt sind. Von Vernets hat man auf den Canigou zu klettern.

Das war ein Gebirgsmarsch wie aus dem Bilderbuch. Der Nachtportier schließt frühmorgens das Hotel auf, im Rucksack ist das Frühstückspaket, weil ich nicht weiß, wann ich wieder herunterkommen werde, und kaum sind acht Stunden vergangen, bin ich oben. Mir war das Meer versprochen worden, doch dick verhängt lag das Land. Aber darauf kam es ja gar nicht an. Unterwegs war es viel schöner als oben.

Unterwegs gab es lange Grashalme, die absonderlich schmeckten, aber ohne Grasstengel im Mund kann man nicht marschieren. Unterwegs war eine Rinderherde mit Kühen, Ochsen und Ochsen mit Gebommel. Die Kälber liefen vor mir weg, ich sprach mit den noch rüstigen Vätern, und wir kamen überein, uns gegenseitig nichts zu tun. Der Weg war durch ein Gatter abgeteilt, damit sie nicht vorzeitig nach unten liefen, und alle wollten mitkommen, sie sahen mir lange nach. Unterwegs waren drei Quellen, eine immer frischer als die andre. Ich füllte die Thermosflasche in der obersten und trank noch unten im Tal das eisige Quellwasser. Unterwegs war ich ganz allein, und daher sang ich schöne Lieder. Unter anderm das Soldatenlied, das ich aus dem wahrhaftigen Kriegsbuch ‹Gaspard› gelernt habe:

> Paraît que la cantinière
> A de tous les côtés,
> Par devant, par derrière,
> Des tas de grains d'beauté.
> Elle en a des pieds jusqu'au seins;
> On raconte un tas de machins ...
> Vous n'y qui qui
> Vous n'y com com
> Vous n'y comprenez rien!

Und alle Sträucher riefen: «Nochmal!» wenn ich vorbeikam, und dann sang ich es nochmal und nochmal, und unten lagen die kleinen Städte im Tal, Prades und die Eisenbahn. Und weil ich wußte, daß dies der letzte Marsch in den Pyrenäen sein würde, deshalb preßte ich das letzte Glückströpfchen aus allen Wegen und trank mein Eiswasser und zerbrach beinah meinen Stock und war sehr glücklich.

FRANZÖSISCHE PROVINZ

Das Hotel heißt Hôtel de France, und das Café heißt Café du Commerce; der Bahnhof liegt meistens draußen vor der Stadt, wo die neuen Häuser stehen, als schämte man sich seiner, und von da rumpelt ein Omnibus bis zum Marktplatz. Wenn das Rathaus alt ist, ist es schön, wenn es neu ist, weniger. Am Fuße der Kirche steht eine blecherne runde Anstalt. Der Gendarmerie hängt eine rote Fahne zum Halse heraus. Das ist die Schule, das ist die Sparkasse, das ist die Post. Noch etwas? Nein, nichts weiter. Keine Sehenswürdigkeiten, keine historischen Gedenkstätten, keine Aussichtstürme — gelobt seist du, kleine Stadt!

Der erste Eindruck der Dörfer und der ganz kleinen Städte in den Pyrenäen ist: tot. Das macht, die Leute halten die Fenster mit Holzläden geschlossen, die mitunter aus zwei groben Planken bestehen, der Fliegen wegen, des Lichts wegen, damit die Luft auf den Plätzen frisch bleibt . . . ich weiß nicht. Aber am hellerlichten Vormittag in einen Flecken zu kommen — das ist gespenstisch. Abends gehts noch an: da sitzen die Menschen vor den Türen, spazieren auch wohl herum und gehen vor dem Café auf und ab.

Unter den abendlichen Bäumen warte ich das Menü ab. Ich weiß schon, was da aus den offenen Fenstern herausschmurgelt: eine Suppe mit weichem Brot, ein Scheibchen Wurst als hors und ein Scheibchen Sardelle als d'œuvres, gebratene Fische, Rindfleisch, Huhn, meist beides nacheinander; wenn man dann dem Ersticken nahe ist, eine kräftige Schüssel Gemüse, und ein bißchen Käschen, Obstchen, Nachspeischen und Kaffeechen. Dazu, wenns schief geht, rauchende Salpetersäure; sonst einen angenehmen Landwein.

Da sitze ich nun und lese meinen französischen Roman, in dem unweigerlich vorkommt: «Il huma l'air frais», dann spiele ich das Nationalspiel — ich versuche, mir mit den Regiestreichhölzern die Zigarette zu verderben: die Streichhölzer sind aus Schwefelwasserstoff und imprägniertem Holz angefertigt — brennen sie nicht, so riechen sie doch schön.

Soll ich in das Syndicat d'Initiative, ins Reisebüro, gehn, das es in jeder Stadt gibt? Sie sind groß an freundlicher Bereitwilligkeit und klein an Bücherbestand, und um Landkarten zu bekommen,

Gelobt seist du, kleine Stadt . . .

... keine Sehenswürdigkeiten, keine historischen Gedenkstätten – nur das Wichtigste: Kirche, Rathaus, Gendarmerie, Wirtshaus, Schule, Post – und die Sparkasse. All das hat lange Tradition, außer der Post und der Sparkasse. Aber auch die sind in der Kleinstadt schon so vertraulich-familiär, daß man sich fast schämen möchte, Zinsen für die Spareinlagen zu nehmen ...

Pfandbrief und Kommunalobligation

Meistgekaufte deutsche Wertpapiere - hoher Zinsertrag - schon ab 100 DM bei allen Banken und Sparkassen

Verbriefte Sicherheit

muß man wahrscheinlich den Ministerpräsidenten selbst bemühen. Es gibt schöne Karten, aber es gibt sie nicht. Erst habe ich versucht, mich an Hand der Generalstabskarte zurechtzufinden. Wenn die Franzosen mit diesen schwarz besprenkelten Drucken den Krieg geführt haben, so ist das eine ganz große Leistung. Diese Karten sind wohl, wie so viele weibliche Gegenstände im Kriege, nur für Offiziere bestimmt gewesen. Dann habe ich eine Karte entdeckt, die das französische Ministerium des Innern herausgebracht hat, und die ist vollendet: in Druck, Klarheit, Aufmachung. Aber sie ist nirgends zu haben.

Mit dem ‹Guide Bleu› von Hachette versuche ichs erst gar nicht. Das ist eines von jenen Reisebüchern, deren Verfasser man immer gern bei sich hätte, um sie mit der Nase an alle Mauern zu stoßen, die man einrennen würde, wenn man ihre törichten Ratschläge befolgte. Das Kartenmaterial ist mäßig, die Stadtpläne sind voller Fehler, die Angaben über die Hotels unzuverlässig, die Wegbeschreibungen von entwaffnender Kindlichkeit, das Nachschlageverzeichnis wimmelt von Druckfehlern. Das hübsch ausgestattete Bändchen kostet, in schmiegsames blaues Leinen gebunden, fünfundzwanzig Francs. Nun wird es wohl Zeit zum Abendessen.

Suppe mit weichem Brot, Wurstscheiben und Sardellen, gebratene Fische ... schade, daß es kein französisches Wort für ‹Mahlzeit!› gibt. Man soll nicht undankbar sein: mein Seufzer ist der Tadel eines ächzenden Schlaraffen.

Im Hotel essen die Junggesellen und auch ein paar verheiratete Herren aus der Stadt. Man sieht an ihren Servietten, daß es Stammgäste sind. Sie führen ihre ernsten Gespräche; an den ganz wichtigen Stellen beugen sie sich vor, und ihre Augen sehen umher: Hast du auch nichts gehört —? Ich habe nichts gehört, auch sage ich nichts weiter. Einer präpariert einen Mordsspaß: er legt auf den Platz des Nachbarn, der noch nicht da ist, ein kleines Paketchen neben den Teller. Alle haben es gesehen und schmunzeln. Sagen Sie, sind eigentlich Frauen auch so harmlos und nett miteinander, wenn man sie allein läßt?

Und dann gehe ich auf mein Zimmer.

Das Auge bekommt ein Hotelzimmer für eine Person allein zu mieten — das Ohr nicht. Hotels sind die lautesten Niederlassungen der Menschen. Da, wo die Tür sitzt, ist das Brett einer Streichholzschachtel angebracht, damit man gut hört, wann nachts der böse Dieb kommt; morgens früh, wenn die Hausdiener krähn, fährt schwere Artillerie im Korridor auf, und nebenan gurgelt sich jemand ausführlich den Rachen. Oben, eine Etage höher, geht ein Gewitter nieder. Man schläft eigentlich mit allen zusammen, wie in einer Scheune. Nein, es ist nicht nur das Ohr. Jedes gute Hotel-zimmer hat mindestens drei Türen, damit man sich nicht so allein fühlt — und mindestens drei davon haben Glasscheiben. Dein Licht darfst du auslöschen, das der andern hast du umsonst. Aber das liegt wohl so im Wesen aller Hotels, mit Ausnahme der ganz vor-nehmen, in denen Boxer, Diplomaten, Verleger und andere feine Leute wohnen, und die französischen sind im allgemeinen nicht eben schlecht. Man muß nicht in alle Küchen gucken, wo man zu Gast ist — ich komme aus der Literatur und weiß das.

Stille. Wenn einen nicht das Sinnloseste stört, das es auf Gottes Erdboden gibt: Hundegebell. Meine Freundin Grete Walfisch hat mir neulich geschrieben: «Kein Hund bellt ohne Grund. Das ist eine alte Bauernregel, die Du ohne vorlaute Bemerkungen anzuer-kennen hast.» Sicherlich hat er Gründe. Aber sie gehen mich nichts an, und die Beharrlichkeit, mit der er Löcher in die Stille bau-haut... Ich muß wohl ein schlechter Mensch sein. Ich mag keine bellenden Hunde. Aber man sollte nicht den Hunden einen überziehen, son-dern ihren Besitzern, die sie anbinden.

Lärm sackt tief ins Gehirn, das saugt ihn auf wie Löschpapier das Wasser. Zum Schluß ist man ganz durchtränkt mit Lärm, nie-dergeknüppelt und unfähig, zu denken.

Nebenan brabbeln zwei Stimmen: eine Engländerin spricht und spricht und hört nie wieder auf. Wie kommt es, daß ich sie nicht mag? Daß der Satz: «Ich bin fest überzeugt: ein fluchender Fran-zose ist ein angenehmeres Schauspiel für die Gottheit als ein be-tender Engländer» mir aus dem Herzen geholt ist, und daß ich derselben Meinung wie sein Verfasser über den tiefen Grund die-ser Abneigung bin: «Ich gestehe es, ich bin nicht ganz unparteiisch, wenn ich von Engländern rede, und mein Mißurtheil, meine Ab-neigung, wurzelt vielleicht in den Besorgnissen ob der eignen Wohl-fahrt... Und jetzt ist England gefährlicher als je, jetzt, wo seine merkantilischen Interessen unterliegen — es giebt in der ganzen Schöpfung kein so hartherziges Geschöpf, wie ein Krämer, dessen Handel ins Stocken gerathen, dem seine Kunden abtrünnig werden und dessen Waarenlager keinen Absatz mehr findet.» Was ist das für eine Orthographie? Das ist die deutsche Orthographie aus dem Jahre 1842, die man auch anwendete, wenn man in Paris saß. Nein, nicht Börne. Der andre. Der andre.

Am nächsten Morgen kletterte ich noch ein bißchen umher.

An einer Mauer klebt ein altes Wahlplakat, immer, in jedem Dorf, unweigerlich.

«Mes chers concitoyens!» Und nun gehts los. Bis zum heutigen Tag hat noch nie ein Deputierter die Interessen des Distrikts wahrgenommen — das muß anders werden. «Agriculteurs! Qu'a-t-on fait pour vous? Rien. Petits propriétaires! Qu'a-t-on fait pour vous?» Das frage ich mich auch. Aber der Neue wirds ihnen schon besorgen: er ist für Ordnung, Privateigentum, den Schutz der wirtschaftlich Schwachen, die Besteuerung der andern — es ist ganz großartig. Unterschrift: «Jean Lenoir, Ancien Député, Maire de Capotanville, Président de la Ligue pour l'Ordre et la Liberté.» Trommelwirbel. Schade, daß das Plakat der vorigen Wahl nicht noch dahängt. Demokratie in der Praxis ist eine lustige Sache.

Das mit den Wahlplakaten ist übrigens halb so schlimm; die Wahlbeteiligung war nicht schlecht, aber bei den Bauern auch nicht übermäßig stark.

Immerhin ist hier in der Provinz der große Umschwung in der parlamentarischen Politik des Landes vorbereitet worden. Was nachher freilich die Parlamentarier damit anfangen...

In fast allen Pyrenäenstädten herrscht eine weiche, geruhsame Luft, besonders in den hübschesten unter ihnen, die am Anfang der Ebene liegen — freundlich geht es da zu. ‹T'en fais pas!› ist ein schöner Grundsatz. Bring dich nicht um! Nun, hier bringt sich keiner um.

Ab und zu trifft man auf Fabriken, aber das ist, wenn man von gewichtigen Ausnahmen absieht, nicht gar so erheblich. Die Bedürfnisse der bürgerlichen und bäuerlichen Provinzfranzosen sind nicht groß, viel wichtiger ist ihnen: zu leben. Sie wissen alle, wozu sie da sind, hienieden. Und es ist gar kein Zweifel, daß sie mit solchen Gaben mehr vom Leben haben als jene, die sich abrudern. Alle diese Städtchen, Oloron und Mauléon und Tarbes und St.-Girons und Gaudens und Foix und Perpignan erinnern mich immer an die Sonntagnachmittage zu Stettin, an denen mein Vater auf dem Balkon saß, eine Pfeife rauchte und auf die Sonntagsausflügler sah, die furchtbar eilig auf den Paradeberg wallen mußten. Er sprach das Wort, das ich von ihm geerbt habe, mehr vielleicht, als gut ist. «Wie sie rennen! Wie sie rennen!» Die Leute in der französischen Provinz rennen nicht. Sie leben.

Man darf nicht übertreiben. Bis zur reinen Idylle gehts doch nicht immer. Wenn ich so bei dem entzückenden Francis Jammes — etwa im ‹Monsieur le Curé d'Ozéron› — zu lesen bekomme, wie heiter, wie blumig, wie lächelnd-sonnig es in diesen Gefilden zugeht, so überkommt mich ein leiser Zweifel. Ich weiß doch nicht recht... Der ‹Hasenroman› von Jammes ist eine reizende Idylle, die man gern genießt, im schönen ‹Dichter Ländlich›, wie die deutsche Übersetzung glücklich genannt ist, gehts noch an — aber dieser gute Curé: das ist ein bißchen viel. Ja, gewiß, auch bei Jammes gibt es wohl schon Zinsen und Kapital und Banken und Ausschweifungen mit wollüstigen Tänzerinnen, aber das liegt weit, weit dahinten ... bis nach Ozéron dringt das gar nicht, hier herrscht eitel Herzenseinfalt. Und wenn einmal von jenen anderen Dingen der wilden Welt die Rede ist, dann mit einer so geschickt-linkischen Unbeholfenheit, etwa wie die Kindersprache einer verheirateten Frau, die sich zur Abwechslung ein bißchen niedlich machen möchte, hasche mich, ich bin der Frühling ... Selbst der Böse ist noch lackiert und eigentlich gar kein Böser. Dieses Buch ist stellenweise nicht mit Zucker, sondern mit Sacharin bestreut.

Aber die französische Provinz an den Pyrenäen ist doch nett. Wenn man abends ankommt, verhüllt nur die wohltätige Dunkelheit die Masse, die da auf dem Marktplatz steht, und sie steht immer da. Das Kriegerdenkmal. Die französischen Kriegerdenkmäler sind nicht weniger schauerlich als die unsern — aber nicht so aggressiv. Oft tragen sie einfach auf einem schlichten Obelisk nur die Namen der Gefallenen ... mir wurde jedesmal heiß, wenn ich das las; welche Listen in den kleinsten Orten! was hat dieses Land gelitten! Wenn sie mehr als das aufgerichtet haben, dann sind sie sentimental und rührend empfindsam. In Mauléon zum Beispiel steht so eine Gedenktafel — und da ist gleich der ergriffne Beschauer mitgemeißelt worden: ein alter Bauer mit einem Kind an der Hand, die sich dem Denkmal grade nähern. Man schämt sich zu lächeln — aber man muß doch. Meistens freilich ragt, besonders vor Kirchen, irgendein Soldat auf, fix und fertig aus der Fabrik, derselbe mit Friedenspalme 2500 Francs, Fracht zu Lasten des Bestellers.

Es sind freundliche Städtchen, und man ist gern in ihnen. Liegen sie weit entfernt vom Brausen der Welt? Aber das ergreift sie ja mit. Wissen sie das? Nein, die meisten Menschen wissen das nicht. Das Neue ist da. Es hat sich nur noch nicht herumgesprochen. So hat das Trotzki formuliert: «Das Alltagsleben setzt sich zusammen aus der angesammelten spontanen Erfahrung der Menschen, es verändert sich ebenso spontan unter der Wirkung von Stößen, die von der Technik ausgehen oder von gelegentlichen Stößen seitens des revolutionären Kampfes, und» — hier sitzt es — «spiegelt in Summa viel mehr die Vergangenheit der menschlichen Gesellschaft als ihre Gegenwart wider.» Und daher wirken diese kleinen Städtchen so idyllisch.

Die Republik, hat ein witziger Franzose gesagt, war nie so schön wie unter dem Kaiserreich.

Paris ist nie so schön wie in der französischen Provinz.

Das ist mein Abschied von den Pyrenäen:

Aus Perpignan fährt die Bahn nach der spanischen Grenze — bis Cébère. Da kommt das tiefe Tunneltor, drüben, hinter den Bergkuppen liegt Spanien. Hier stoßen die Pyrenäen an die See.

Schiffer fahren mich auf dem Meer spazieren, wir führen ernste Gespräche und unterhalten uns über die teuren Bodenpreise in Cébère, wo alle Welt Grenzhandel treibt und alle Welt Geld verdient. Und davon reden wir, daß da im Norden Banyuls liegt, wo neulich abends das Kutterboot gekentert ist.

Da fahren wir nun in eine Grotte am Wasser; es ist eine kleine, kümmerliche Höhlung im Stein, das Boot schaukelt zwischen den Felswänden. Hinten brummt dumpf das Wasser — wenn es im Fels rollt, hört es sich an, als ob er einstürzen wollte.

Und mit meinen Händen befühle ich noch einmal, zum letzten Mal, den nassen Stein, den Berg in den Pyrenäen. Ich sehe durch die Erde bis zum andern Ende, bis zum Ozean, nach Hendaye und Bayonne. Höhlen liegen dazwischen — unten in Bétharram steht, fünfzig Meter tiefer unter der Erde, ein Grenzstein mit zwei Tafeln:

Basses-Pyrénées / Hautes-Pyrénées

Es ist die Departementsgrenze. Ordnung muß sein.

Wann wieder, Berge —?

Die Fischer stoßen ab, sie rudern noch ein bißchen um das Kap herum, in die offene See ... Und dann sind wir in dem kleinen Häfchen von Cébère. Oben laufen die Zollbeamten auf dem Bahnsteig auf und ab und befühlen die Koffer, und die Gendarmen prüfen die Pässe und tun recht geschäftig und staatserhaltend. Der Zug pustet Rauch aus.

Da verschwinden die Berge im dunstigen Blau, längs der Eisenbahn werden sie immer niedriger, jetzt sind wir wohl schon in der platten, unendlich weiten Ebene. Sieh — eine Station! Palau-del-Vidre. Und die Höhenzahl: 22 m 706 mm über dem Meeresspiegel.

Es ist aus.

Erlöst vom Gebirge — erlöst vom Steigen und Klettern.

In meinem Herzen liegt eine kleine Flocke, eben geboren, ein Ei: Sehnsucht nach den Pyrenäen.

Zugabe. Über Toulouse muß gefahren werden — da kann der kleine Abstecher nur Freude machen. Um so mehr als Toulouse um drei Karat häßlicher ist als Lyon. Reste schöner Architektur stehen museal dazwischen. Unglücklicherweise ist es auch noch Sonntag, und auf den Straßen spazieren: achthundert Francs Monatsgehalt und neuer Sonntagsanzug; kalte Verlobung mit Wohnungseinrichtung; achtundvierzig Jahre Buchführung mit kleiner Pension und eigener Zusatzrente — die Leute wissen nicht recht, was sie mit ihrem freien Nachmittag anfangen sollen, sie gehen so umher: kurz, eine Stadt, wie Valéry Larbaud formuliert, où l'on sent l'aprèsmidi une désespérante odeur d'excrément refroidi. Also: Albi.

Als ich abends ankomme, liegt der Ort grade in tiefem Dunkel, nur am Gefängnis brennt einladend eine kleine Laterne. Es muß doch nicht leicht sein, ein Elektrizitätswerk zu leiten. Im Hotel brennt eine Kerze auf einem Tisch. Ich trete in die Tür, strahlendes Licht flammt auf — kein schlechter Auftritt. Im Speisesaal tagt noch eine schöne Table-d'hôte, dieser Kotillon der Mahlzeiten. Alle Provinzherren stopfen sich die Serviette in den Hals und werden nun hoffentlich gleich rasiert.

Am nächsten Morgen gehe ich langsam durch die gewundenen Straßen, an den Häusern de Guise und Enjalbert vorüber, zwei Renaissancebauten mit herrlichen Portalen.

Da steht die Kathedrale.

Ich bin kein weitgereister Mann und kann nicht nachlässig hinwerfen: «Das Haus des Dalai-Lama in Tibet erinnert mich an der Nordseite an die Peterskirche in Rom ...» Diese Kathedrale in Albi hat mich an gar nichts erinnert — doch: an eins. An Gott. Ihr Anblick schlägt jeden Unglauben für die Zeit der Betrachtung knock-out.

Wie ein tiefer Orgelton braust sie empor. Sie ist rot — die ganze Kirche ist aus rosa Ziegeln gebaut, und sie ist eine wehrhafte Kirche mit dicken Mauern und Türmen, ein Fort der Metaphysik. Hier ist der Herrgott Seigneur in des Wortes wahrster Bedeutung. Ihr Bau wurde im dreizehnten Jahrhundert begonnen, ihr Stil ist so etwas wie eine Gotik aus Toulouse. Der riesige Turm verjüngt sich nach oben, seine Fenster werden immer kleiner und täuschen eine Höhe vor, die in Wirklichkeit gar nicht da ist. Ach was ... Wirklichkeit! Diese Kathedrale ist nicht wirklich. Sie ist, im Gegensatz zu den Ereignissen in Lourdes, ein wahres Wunder.

Und rosa schimmern die Bischofsgebäude, die danebenstehen, der Himmel nimmt eine rosa Färbung an —

Innen ist die Kathedrale nicht so schön, es gibt zwar gute Einzelheiten, aber es ist eben eine hohe Kirche, deren Raum man leider aufgeteilt hat. Ich trete wieder hinaus und gehe zwergenhaft von allen Seiten an dieses Monstrum heran. Es ist zum Erstarren.

Die Gärten des erzbischöflichen Schlosses liegen im Herbstlaub, mit rosa Ziegel als Fond. Von drüben schimmert der Fluß, le Tarn, ich sauge das alles in mich auf.

Im erzbischöflichen Schloß ist ein Museum, eine Bilderausstellung; ach, wer wird denn das jetzt sehn wollen! Aber da fällt mein Blick auf ein kleines Ausstellungsplakat ... Ich muß mich wohl verlesen haben. Nein. «La Galerie de Toulouse-Lautrec.»

Toulouse-Lautrec? Hier? Im Bischofsschloß? Hier im Bischofsschloß. Und da stak ich nun den ganzen Tag.

In Albi ist Toulouse-Lautrec geboren, in Albi ist er gestorben (1901). Und ihm zu Ehren haben sie diese Ausstellung in drei Sälen zusammengebracht. Da hängen:

Die großen Plakate mit Aristide Bruant, das rote Tuch verachtungsvoll-königlich um den Hals; La Goulue, die die Beine wirft, daß man ihr in eine Wäscheausstellung sehen kann; ein altes Schwein, das sich über ein junges Gemüse beugt; die harten Fressen strahlend blonder Luder; der Urgroßvater des Jazz: Cake-walk in einer Bar; ein Kostümball, auf dem Börsenmakler als Marquis Posas mit Pincenez zahlend amüsiert schwitzen; ein kalkiger Jüngling auf grauem Karton, ein schlaffer, käsiger Mensch, sein ganzes Leben ist auf den paar Quadratzentimetern aufgezeichnet — und Yvette.

‹Yvette Guilbert, saluant le public›. Ich bin kein Bilderdieb — außerdem ist das Bild zu groß gewesen. Sie stand da, den Oberkörper etwas vorgebeugt, und stützte sich mit einer Hand am zusammengerafften Vorhang. Die langen schwarzen Handschuhe laufen in Spinnenbeine aus. Sie lächelt. Ihr Lächeln sagt: «Schweine. Ich auch. Aber die Welt ist ganz komisch, wie?» Durchaus «halb verblühende Kokotte, halb englische Gouvernante», wie Erich Klossowski sie charakterisiert hat. Es ist da in ihr ein Stück Mann, das sich über die Frauen lustig macht, selber eine ist, durchaus — und ganz tief im Urgrund schlummert ein totes, kleines Mädchen. Dieser Mund durfte alles sagen. Und er hat alles gesagt.

Und auf jedem zweiten Blatt immer wieder das Theater — das Theater, das Toulouse-Lautrec mit Haßliebe verfolgt hat, ausgezogen, wieder angezogen, abgeschminkt, geküßt, geschminkt und verhöhnt hat. Weiche Mimen legen vor einem Spiegel Rouge auf; ist das eine lächerliche Profession, sich abends, wenn die Lampen brennen, in schmutzigen kleinen Ställen Butter ins Gesicht zu schmieren! Da liegt eine Palette, dort ein Lithographiestein mit dem Bart Tristan Bernards. Spitze Schreie steigen von diesen Blättern auf, Brunst, Inbrunst, Ekel, Genuß am Ekel, in der vollendeten Verkommenheit liegt der Ton auf vollendet.

Ein weher Mund sieht dich an, sah ihn an — alles andere in diesem Frauengesicht ist dann dazugeworfen, wegen dieser Lippen ist er gezeichnet. Zarte Pastellkartons: ein weißes Jabot ist so auf Grau gesetzt, daß man den hauchdünnen Stoff abheben kann, und alle ernsthaften Bilder zeigen, was dieser Mann an technischem Können, an Fleiß, an Gewissenhaftigkeit des Handwerks in sich gehabt hat. Den Ungarn, die ihm heute in Paris frech nachschmieren, sollte man ihre Blätter um die Ohren wischen — es genügt eben nicht, in ein ‹Haus› zu gehen und grinsend zu kolportieren. Ah, davon ist hier nichts.

Tierstudien sind da, von einer Einfühlung in die Form, Porträts, kleine Landschaften ... und immer wieder Pferde, deren Bewegung er so geliebt hat. Dazwischen alte Kanaillen, mit halbentblößter Brust; wie haargenau sind die Quantitäten von Verfall, gesundem Menschenverstand, ja selbst von so etwas wie anständigem Herzen ausbalanciert ...! Eine hat etwas Mütterliches. Und ein ganzer Salon ist da, der große Empfangssalon im Parterre, da sitzen die Damen, bevor sie nach oben steigen. Ein Salon —? Es ist der Salon. Die Totenmarie und die Stupsnase und das dicke, hübsche Mädchen, und die Gleichgültige und die, die ewig nackt umherläuft ... Und das Schönste von allem: ‹Etude de Femme 1893›. Ein junges Ding läßt frierend das Hemd gleiten, eine Brust sticht gespitzt in die Luft. Ein herbstlicher Frühling.

Drum herum Gemälde. Zweimal: seine Mutter. Porträts des Malers, Porträts anderer: ein bärtiges Gesicht mit Kneifer und aufgeworfenen Lippen. Einmal eine Verspottung seines verwachsenen Körpers.

Er ist in Albi geboren und gestorben. Wo?

Die Straße heißt heute rue de Toulouse-Lautrec, es ist das Haus Nummer 14. Außen eine glatte Front, eine hohe verschlossene Tür. Sein Vetter, der Doktor Tapie de Céleyran, empfängt mich.

Es ist ein älterer Herr mit schwarzem Käppchen auf dem Kopf: er führt mich ins Allerheiligste. Da liegt in Kästen das Oeuvre Lautrecs: die Lithographien, die Originale und viel Unveröffentlichtes. Und er zeigt mir eine Geschichte, die der Knabe illustriert hat — seltsam gemahnen die angetuschten Federzeichnungen an Kubin. Er hat so viel gearbeitet ... Und ich bekomme zu hören, daß die Familie und der Hauptverwalter des Nachlasses, Herr Maurice Joyant in Paris, der an einem großen Werk über den Maler arbeitet, seine Einschätzung durch das Publikum nicht lieben. «Er ist nicht nur der Zeichner der Dirnen gewesen, des Zirkus, des Theaters —! Er hat so viel andres gekonnt!» Zugegeben, daß sich ein Teil seiner Bewunderer stofflich interessieren. Aber hier liegt das Einmalige des Mannes, der bittere Schrei in der Lust, der hohe, pfeifende Ton, der da herausspritzt ... Daß dahinter eine Welt an Könnerschaft lag, wer möchte das leugnen —! Und daß Toulouse-Lautrec kein wollüstig herumtaumelnder Zwerg war, oder ob er es war ... gebt volles Maß! Und wir scheiden mit einem Händedruck.

Nachmittags bekomme ich im Museum zu sehen, was nicht ausgestellt ist: Entwürfe über Entwürfe, hingehuschte Skizzen, Angefangenes, Wiederverworfenes und Schulhefte, in denen die lateinischen und griechischen Exerzitien ummalt sind von Girlanden und Figuren. Da ist die Feder träumerisch übers Papier geglitten, weit, weit weg von Cicero und hat Pferde im Sprung aufgefangen, Füchse ... die Männerchen, die der hier gemalt hat, sind schon kleine Menschen.

Und als der freundliche Konservator alles wieder zusammengepackt hat, gehe ich noch einmal in die hohen Zimmer und nehme Abschied, von Yvette Guilbert, von den zarten Farben und von dem dröhnenden Schlag eines Spazierstockgriffs auf einen Sektkühler. Es gibt das alles nicht mehr; man ist heute anders unanständig. Mit der Zeit — das geht so schnell! — sinken Gefühle zu Boden, optische Anspielungen, nur von denen einmal verstanden, die sich mitgekitzelt fühlten. Vor manchem stehe ich nun und kann es nicht mehr lesen. Aber ich verstehe es mit dem andern Nervensystem, dem Solarplexus — es springt da etwas über, von dem ich nur weiß, daß es zwinkernd, züngelnd und doch nicht verrucht ist. Es ist das Knistern, das entsteht, wenn sich Menschen berühren: Haßknistern, Spott ... und eine etwas lächerliche Formalität. Die Liebe after dinner.

Von Albi sehe ich dann gar nichts mehr. Oder wenigstens: ich habe alles vergessen. Ich weiß nur noch, daß ich in eine Flaschenfabrik hineingehen wollte, wie mögen wohl Flaschen gemacht werden, dachte ich — und da standen zwei· ältere Arbeiter vor dem Portal. Sie sagten: «Heute nicht.» — «Warum nicht?» fragte ich. «Es wird gestreikt», sagten sie, «Marokko.» Nun, es war das ein Teilstreik, und sie wußten das auch sehr genau. Sie sagten, es nütze ja doch nichts. Ich schwieg — denn ich bin in Frankreich. Aber ich wußte: es nützt immer. Nichts ist verloren. Es ist ein Steinchen, wenn ein paar Fabriken gegen den Staatsmord protestieren, wenn sie nicht mehr wollen, wenn die Arbeiter ihre Söhne nicht mehr hergeben wollen . . .

Und dann fuhr ich nach Toulouse zurück. Da wohnte noch jemand, den ich zu besuchen hatte.

Eine alte Dame empfing mich in ihrer Wohnung, die in einer stillen Straße liegt. Die Comtesse de Toulouse-Lautrec ist heute vierundachtzig Jahre alt. Sie geht langsam, sie ist frisch, freundlich, gut. Da kam sie auf mich zu, sah mich durch ihre Stahlbrille an . . . und dann begann sie von ihrem Sohn zu sprechen.

Sie spricht von seiner Jugendzeit, als er so fleißig in Paris gelernt hat; von seinem festen Willen, und —: «Er war ein so guter Schwimmer, wissen Sie!» sagt sie. Nur eine Mutter kann das sagen. Und nun wird sie lebhafter und macht mich auf die Kohlezeichnungen aufmerksam, die da hängen: die Köpfe zweier alter Damen, es sind die Großmütter Lautrecs. Wieder sehe ich:

In der Kunst gibt es kein Mogeln. Der Mann war in seiner Ausbildung ein Handwerker, ein Akademiezeichner wie Anton von Werner, und auf diesem Grunde hat er gebaut. Wissen die Leute, daß George Grosz zeichnen kann wie ein Fotograf? Man kann nur weglassen, wenn man etwas wegzulassen hat. Mogeln gilt nicht.

Und die Mutter zeigt kleine Bildchen, Illustrationen zu einem Werk Victor Hugos, niemals vollendet; der Verleger machte Geschichten, und Lautrec zerriß langsam das Bild, das er grade unter den Händen hatte. Und ein Album mit den ungelenken Zeichnungen des Knaben, schon sieht hier und da etwas andres heraus als nur die Kinderhand, die das Zeichnen freut.

Und sie spricht von seinem Leben und erzählt seine kleinen Schulgeschichten. Wie er stets gearbeitet hat . . . «Ich bin immer nur ein Bleistift gewesen, alle meine Tage», hat er einmal von sich gesagt — und wie er niemals ohne sein Notizbuch ausging, in das er eine Unsumme von Details aufzeichnete; wie er lebte, und wie sie ihn doch nicht lange gehabt hat. Er starb mit siebenunddreißig Jahren. Zum Schluß, als er so krank gewesen ist, hat sie eine Reise nach Japan mit ihm machen wollen, er liebte Japan, da hängt noch ein japanischer Druck, den er sich gekauft hat. Aus der Reise ist nichts mehr geworden. Und die alte Dame sagt: «Il est si triste d'être seule.»

Und dann gehe ich von der, die diesen Meister geboren hat.

Wenn Er bläst: wird das Jüngste Gericht gerechter sein als die Verwaltungsbehörden auf Erden, die sich für Gerichte ausgeben? Wenn Er bläst, wird auch dieser kleine, etwas vornehme Mann erscheinen. «Henri de Toulouse!» ruft der Ausrufer. «Huse —» macht es.

«Lautrec!» ruft der Ausrufer. «Meck-meck!» — lachen die kleinen Teufel. Da steht er.

«Warum hast du solch einen Unflat gemalt, du?» fragt die große Stimme. Schweigen.

«Warum hast du dich in den Höllen gewälzt ... deine Gaben verschwendet ... das Häßliche ausgespreizt — sage!»

Henri de Toulouse-Lautrec steht da und notiert im Kopf rasch den Ärmelaufschlag eines Engels.

«Ich habe dich gefragt. Warum?»

Da sieht der verwachsene, kleine Mann den himmlischen Meister an und spricht:

«Weil ich die Schönheit liebte —» sagt er.

DANK AN FRANKREICH

> «Ich vermisse von Ihnen noch immer den hemmungslosen und kritiklosen, tiefen und erlösenden Aufschrei über das unendliche Glück, in Frankreich leben zu dürfen.»
>
> Aus einem Freundesbrief

Der lange D-Zugwagen schaukelt sanft von der Gare d'Austerlitz bis zur Gare d'Orsay. Ohne Ruck hält er. Das weiße Deckchen auf dem Polster ist verrutscht, ich streiche es sorgsam glatt. Und steige aus.

Da rollt und flimmert Paris. Die kleinen roten Lampen an den Autos glitzern wie funkelnde Rubine, die Hupen gellen, hinterher seufzen sie so sonderbar erschöpft auf; der kleine Nebenton sagt: Guten Tag! — Guten Tag, sage ich.

Und da gehe ich ganz allein über die Brücken der Seine und sehe, wie die Ausstellung noch immer illuminiert ist und wie der Concorde-Platz im bleichen Licht daliegt, auf ihm die Inselchen der rollenden Wagen ... Guten Tag.

Und jetzt, wo niemand es hört, bewegen sich ganz leise meine Lippen, eine warme Welle schießt mir zum Herzen auf, und ich sage: Dank.

Dank, daß ich in dir leben darf, Frankreich. Du bist nicht meine Heimat, und ich bin kein alter Franzose, der auf einmal kein Deutsch versteht. Ich habe deine Kinderverse nicht auswendig im Kopf, ich muß mir erst vieles übertragen; nicht bei dir habe ich Männerchen auf die Zäune gemalt und eine lange ungehörige Zeichnung auf das Häuschen an der Ecke. Nicht bei dir bin ich verliebt durch die

Straßen gelaufen, mit einem kleinen Brief in der Brusttasche und einem großen Schauder über dem Rücken ... Keine Ecke sagt: hier bist du einmal ... kein Haus sagt: hier oben hat sie einmal ... Und doch bin ich bei dir zu Hause.

Du warst gastlich vom ersten Tage an. Du hast niemals den Fremden verspottet, wenn er Vokabeln, Bräuche, Stadtviertel verwechselte. Du hast dich nie gespreizt, du hast dich nie versagt. Wer dich zu suchen ausgeht, kann dich finden.

Du siehst von außen mitunter besser aus, als du bist — in einer Parfumfabrik riecht es nicht immer sehr gut. Du liegst in Europa, man kann dich nicht losgelöst von Europa betrachten, und du bekommst es nun zu fühlen, daß du dazugehörst, auch wenn du dich einen Teufel um das Fremde scherst. Ich kann nicht zu allem, was hier geschieht, ja sagen. Auch du hast deine Justiz, deine Verwaltung, deine Eisenhüttendirektoren und deine Arbeiter ... Das ist deine Sache.

Darüber schwieg ich stets — aus Liebe. Und ich bekam es von zu Hause nicht schlecht zu hören: Franzosenliebling, Französling, landfremdes Element, Undeutscher. Und von andern bekam ich nicht schlecht zu hören: er lobt nicht alles, was in Paris geschieht — er versteht nichts von dieser himmlischen Stadt. Nein, ich lobte nicht alles in dieser himmlischen Stadt.

Aber heute abend, wo ich auf der Brücke stehe und ins strahlende Wasser sehe, heute abend, wo ich wieder da bin und diese feine, graue Luft einatmen darf, das Brausen der Stadt höre, die Laute, die ich kenne und zutiefst fühle — heute abend laß mich dir danken.

Ja, du hast das größte Glück gegeben, das eine Umgebung verleihen kann. Lieben kann man überall, Geld gewinnen kann man überall, das äußere Wohlsein erreichen kann man überall. Aber um nichts glücklich sein, durch die Straßen streichen und die Häuser mit dem Blick umfangen: Gott sei Dank, daß ihr alle da seid! zum Nachbar ja sagen, immer nur runde Ecken vorfinden, betrunken sein, weil man diese Luft einatmet: das kann man nur bei dir. Deine Vergnügungen sind es nicht, deine Frauen sind es nicht, deine Kunstwerke sind es nicht. Nichts ist es und alles zusammen — du bist es.

Und deine Menschen sind es.

Oft, wenn wir an die Frage kamen: «Und Sie sind ... Engländer?» und ich sagte dann das Wort, dann entstand eine winzig kleine Pause, und eine Welt war in der Stille. Eine Welt von vier Jahren. Aber nie, nie, nie mehr als das — nie ein böses Wort, nie eine heftige Anspielung, ein Versuch, den Krieg nun noch einmal unter vier Augen zu gewinnen. Wer nicht mit Deutschen umgehen will, tut es nicht. Wer sich über den Nationalkram hinwegsetzt, tut es. Die Majorität ist neutral und hat Herzenstakt.

Und es sind besonders ‹die kleinen Leute›, die so liebenswert sind — Gevatter Epicier und Handschuhmacher, Herr Un Tel, Herr Chose, Herr Machin. Sie denken mit dem Herzen, sie fühlen mit dem Kopf, es sind vor allen Dingen einmal Menschen — on s'arrange. Ja, es gibt sogar höfliche Polizeikommissare.

Manchmal habe ich fast vergessen, wie gut ichs hatte. Es begann, selbstverständlich zu sein, und ich fing an, undankbar zu werden. Ich will das wieder gutmachen.

Ich habe mich nicht in dir verloren — ich habe mich wiedergefunden, wenn ich mich verloren hatte. Du hast gegeben und gegeben, geliehen und verschenkt . . . ich war so arm. Ich bin so reich. Und nun gibt es keine Vorbehalte mehr, keine Kritik und keine Betrachtungsweisen —: da stehe ich auf der Brücke und bin wieder mitten in Paris, in unser aller Heimat. Da fließt das Wasser, da liegst du, und ich werfe mein Herz in den Fluß und tauche in dich ein und liebe dich.

INHALT

ro
ro
ro

C 143/31

Wolfgang Borchert

Das Gesamtwerk
Laterne, Nacht und Sterne · Die Hunde-
blume · An diesem Dienstag · Draußen vor
der Tür · Gedichte · Nachlaß
Mit einem Nachwort von Bernhard Meyer-
Marwitz. Sonderausgabe. 352 Seiten.
1 Tafel. Gebunden

Draußen vor der Tür
und ausgewählte Erzählungen. Mit einem
Nachwort von Heinrich Böll
rororo Band 170

Die traurigen Geranien
Geschichten aus dem Nachlaß
Mit einem Nachwort herausgegeben von
Peter Rühmkorf. rororo Band 975

Wolfgang Borchert
Dargestellt in Selbstzeugnissen und 70
Bilddokumenten von Peter Rühmkorf
rowohlts monographien Band 58

Hans Fallada

rororo

C 46/22

Hans Fallada

ro
ro
ro

C 46/21-22 a

Klaus Mann

ro
ro
ro

C 1048 / 9

Heinar Kipphardt

C 2193/1

Alfred Döblin

Pardon wird nicht gegeben
rororo 4243
Döblin erzählt von den harten Jahren im Berlin der Jahrhundertwende und der großen Wirtschaftskrise. Die reife Kunst der Menschendarstellung, die Fülle und Schönheit des epischen Details und die mitreißende Schilderung des brausenden Großstadtlebens geben diesem Roman seine zeitlose Aktualität.

Die beiden Freundinnen und ihr Giftmord
rororo 4285
Eine junge Frau vergiftet ihren Mann, weil er ihrer Verbindung mit einer anderen Frau im Wege stand. Alfred Döblin, als Nervenarzt mit der Analyse seelischer Vorgänge vertraut, verarbeitete seine Prozeßnotizen zu einer der einfühlsamsten Erzählungen der deutschen Literatur über die Beziehung zwischen zwei Frauen.

Klaus Schröter
Alfred Döblin
rowohlt monographien 266

Bertolt Brecht

Ferner erschien

Bertolt Brecht
mit Selbstzeugnissen und Bilddokumenten dargestellt von
Marianne Kesting
rowohlts monographien Band 37

Die Erzählerbibliothek

James Baldwin
Sonnys Blues
Gesammelte Erzählungen
253 Seiten. Gebunden

Gottfried Benn
Der Ptolemäer
Sämtliche Erzählungen
252 Seiten. Gebunden

Albert Camus
**Jonas oder
Der Künstler bei der Arbeit**
Gesammelte Erzählungen
251 Seiten. Gebunden

John Collier
Blüten in der Nacht
Gesammelte Erzählungen
318 Seiten. Gebunden

Roald Dahl
Georgy Porgy
Gesammelte Erzählungen
446 Seiten. Gebunden

Ernest Hemingway
Die Stories
497 Seiten. Gebunden

Kurt Kusenberg
Mal was andres
Phantastische Erzählungen
511 Seiten. Gebunden

D. H. Lawrence
Verliebt
Gesammelte Erzählungen
428 Seiten. Gebunden

C 2152/1

C 2152/1a